CB005830

AGATHA CHRISTIE

M ou N?

Tradução
Newton Goldman

Rio de Janeiro, 2021

Título original: N or M?

Revisão da tradução: Ricardo Silveira
Revisão: Cláudia Ajúz, Diogo Henriques, Guilherme Bernardo e Mônica Surrage
Diagramação: Viviane Rodrigues
Projeto gráfico de capa: Maquinaria Studio

CIP-Brasil. Catalogação na publicação
Sindicato Nacional dos Editores de Livros, RJ

C479n Christie, Agatha, 1890-1976
M ou N? / Agatha Christie; tradução de Newton Goldman. – Rio de Janeiro : HarperCollins Brasil, 2016.

Tradução de: N or M?
ISBN 978.85.69809.40-1

1. Ficção inglesa. I. Goldman, Newton. II. Título.

CDD 823
CDU 820-3

Rua da Quitanda, 86, sala 218 – Centro – 20091-005
Rio de Janeiro – RJ – Brasil
Tel.: (21) 3175-1030

Sumário

Capítulo 1 07

Capítulo 2 21

Capítulo 3 33

Capítulo 4 47

Capítulo 5 63

Capítulo 6 77

Capítulo 7 89

Capítulo 8 107

Capítulo 9 117

Capítulo 10 127

Capítulo 11 139

Capítulo 12 145

Capítulo 13 155

Capítulo 14 165

Capítulo 15 173

Capítulo 16 179

Sobre a autora 185

1

Tommy Beresford tirou o capote no saguão do apartamento e pendurou-o com cuidado, sem se apressar. Em seguida, colocou o chapéu no cabide ao lado.

Endireitou as costas, aprumou um sorriso decidido nos lábios finos e marchou para a sala de visitas onde a esposa tricotava furiosamente um suéter cáqui.

A sra. Beresford olhou para o marido e prosseguiu no trabalho sem diminuir o ritmo.

— Alguma novidade nos jornais? — perguntou ela, depois de certo tempo.

— Graças a Deus a Blitzkrieg vem aí! As coisas não vão bem na França!

— O mundo está num estado lamentável — comentou Tuppence.

— Por que não me pergunta de uma vez? — disse Tommy, depois de uma pausa. — Não precisa ficar tão cheia de dedos...

— Eu sei — confessou Tuppence. — Sei como é irritante vermos uma pessoa tentando agir assim conscientemente. De qualquer maneira, não havia necessidade de perguntar. Vi logo que você entrou.

— Não pensei que eu fosse tão transparente!

— Não mesmo? — disse Tuppence, surpresa. — Você está com um sorriso tão forçado que chega a ser comovente.

— Então é mais óbvio do que eu imaginava! — disse Tommy, sorrindo.

— É. Mas vamos lá. Não conseguiu nada?

— Nada. Não precisam de mim. É duro, Tuppence, quando resolvem que um homem de 46 anos só serve para ser avô! Exército, Marinha, Aeronáutica... Ministério das Relações Exteriores... todos unânimes em me considerar um velho caquético. Se houver qualquer coisa me chamam mais tarde.

— Comigo é a mesma coisa — disse a mulher. — Não precisam de gente da minha idade para enfermagem ou para qualquer outra coisa parecida. Preferem uma dessas meninas que nunca viram um curativo ou tiveram de esterilizar uma ferida do que uma mulher que trabalhou de 1915 a 1918, três anos, veja bem!, como enfermeira num hospital militar, num campo de batalha, dirigiu um caminhão de entrega e foi motorista de um general. Diga-se de passagem que me saí muito bem em todas essas funções. Hoje em dia, porém, sou considerada uma mulher de meia-idade, pobre, chata, metida, que se recusa a ficar em casa tricotando como uma velha senil.

— Essa guerra é um inferno! — comentou Tommy.

— Já não chega uma guerra — disse Tuppence, — ainda por cima querem que fiquemos de braços cruzados!

— Ainda bem que Deborah está empregada — disse Tommy, num tom de consolo.

A mãe de Deborah sorriu.

— Ela vai indo bem — disse Tuppence —; mesmo assim, acho que ainda poderia competir com ela, nesse trabalho.

— Ela também acha — disse Tommy, sorrindo.

— As filhas também sabem ser irritantes, principalmente quando se tornam compreensivas.

— Derek também faz muitas concessões comigo — disse Tommy. — Aquele ar de "pobre papai" que ele assume, às vezes, é de enlouquecer.

— Conclusão: nossos filhos, apesar de maravilhosos, são infernais.

O tom de queixa ao se referir ao casal de gêmeos encerrava uma grande ternura maternal.

— No fundo — disse Tommy pensativo — o pior é a gente perceber que está ficando velho ou incapaz.

Tuppence rosnou de raiva e deu um tapa no novelo de lã, que rolou pelo chão.

— E por acaso nós somos incapazes? Ou velhos? Será que temos possibilidade de fazer alguma coisa? Se formos pela cabeça dos outros há muito que já estaríamos internados num asilo!

— É mesmo — concordou Tommy.

— Lembra-se do tempo em que nos consideravam úteis? Estou começando a acreditar que isso nunca aconteceu, que foi uma ilusão! Será verdade que você levou uma coronhada na cabeça e foi raptado por espiões alemães? Que uma vez descobrimos o paradeiro de um criminoso perigoso e acabamos capturando-o? Será verdade que salvamos uma agente, fotografamos importantes papéis secretos e recebemos os cumprimentos do primeiro-ministro? Nós! Eu e você! E hoje em dia, quem se lembra do sr. e da sra. Beresford?

— Acalme-se, querida. Não adianta reclamar.

— De qualquer maneira — disse Tuppence, enxugando uma lágrima —, estou desapontada com o sr. Carter.

— Mas ele nos escreveu uma linda carta!

— Cheia de palavras ocas e tirando toda e qualquer esperança que pudéssemos ter.

— Está na mesma situação que nós. Aposentado por velhice, vivendo na Escócia, ocupado nas pescarias...

— Pelo menos um trabalhinho eles podiam nos dar no Serviço Secreto — murmurou Tuppence.

— Quem sabe eles não têm razão? Quem sabe nossos nervos não aguentariam mais um novo embate?

— Pode ser, mas não deixa de ser duro aceitar a realidade — queixou-se Tuppence, suspirando. — Gostaria de arranjar um emprego qualquer. É horrível ter tempo demais para pensar.

A sra. Beresford pousou os olhos sobre a fotografia de um rapaz, parecido com Tommy, vestido de aviador da Força Aérea.

— Pior ainda para um homem. As mulheres ainda podem fazer tricô ou embrulhar mantimentos para os soldados.

— Daqui a vinte anos poderei fazer isso perfeitamente. Por enquanto não me basta... Não estou tão velha assim...

A campainha tocou. Tuppence levantou-se. Abriu a porta para um senhor alto, forte, de bigode.

— Sra. Beresford? — perguntou o desconhecido, com uma voz agradável e um olhar perscrutador.

— Sim.

— Meu nome é Grant. Sou amigo de Lord Easthampton. Ele sugeriu que eu viesse visitá-los.

— Pois não. Faça o favor de entrar.

Ele a seguiu até a sala de visitas.

— Meu marido, este é o capitão...

— Senhor.

— Sr. Grant, amigo do sr. Cart... quer dizer, de Lord Easthampton.

O pseudônimo do antigo chefe do Serviço de Espionagem sempre afluía mais rapidamente aos lábios de seus assessores do que seu verdadeiro título.

Os três conversaram amigavelmente. Grant parecia uma pessoa simpática e agradável. Passado um certo tempo, Tuppence saiu da sala e voltou com uma garrafa de xerez e três cálices.

Bebericaram por alguns minutos o delicioso xerez. Grant endireitou-se na poltrona.

— Ouvi dizer que está procurando um emprego, Beresford.

Um olhar de ansiedade iluminou o rosto de Tommy.

— Claro que estou. Por acaso...

Grant riu, sacudindo a cabeça.

— Não, não, parece que hoje em dia devemos dar lugar aos mais jovens ou aos que vêm trabalhando mais ativamente conosco de uns anos para cá. O que eu posso sugerir não é muito excitante. Trabalho num escritório bastante rotineiro, arquivo e envio de correspondência. Burocracia pura...

Tommy pareceu desapontado.

— Ah, sei!

— É melhor do que ficar parado — disse Grant, encorajando--o. — De qualquer maneira, venha visitar-me no meu escritório. Seção de suprimentos, Ministério do Planejamento, sala 22. Vamos ver o que se pode fazer.

O telefone tocou. Tuppence atendeu.

— Alô? Sim? O quê?

Uma voz esganiçada berrava do outro lado da linha. Tuppence ficou séria.

— Quando? — perguntou, nervosa. — Oh! minha querida, vou já para aí...

Desligou o telefone e olhou para os dois homens.

— Era Maureen — explicou para Tommy.

— Foi o que pensei, reconheci a voz daqui...

— Desculpe sr. Grant — disse Tuppence, agitada —, mas preciso sair para ver uma amiga que caiu e torceu o tornozelo. Está sozinha com a filha e preciso ajudá-la a arrumar as coisas, além de encontrar uma pessoa que possa ficar com ela. Desculpe, sim?

— Claro, sra. Beresford, compreendo perfeitamente.

Tuppence sorriu para Grant, apanhou um suéter em cima do sofá e saiu. A porta da frente do apartamento bateu com força. Tommy serviu o convidado de outra dose de xerez.

— Não vá embora ainda.

— Obrigado — disse Grant, aceitando a bebida. — Foi um feliz acaso terem chamado a sra. Beresford. Ganhamos tempo.

Tommy não compreendeu.

— Se o senhor viesse me visitar no escritório — disse Grant, deliberadamente —, eu estaria em condições de lhe propor um negócio.

Tommy ficou vermelho.

— Quer dizer...

— Easthampton sugeriu o senhor. Disse que era o homem certo para o negócio.

Tommy suspirou aliviado.

— O que é?

— Note bem que é um assunto estritamente confidencial.

Tommy concordou com a cabeça.

— Nem sua esposa deve saber. Compreendeu?

— Bem... se é assim. Mas quero que saiba que já trabalhamos juntos.

— Eu sei. Mas minha proposta só abrange o senhor.

— Percebo.

— Vamos lhe oferecer um emprego... como já disse... de escritório, num departamento que funciona na Escócia... numa área proibida, onde nem sua esposa poderá ir. Na realidade o senhor irá para outra parte.

Tommy limitou-se a aguardar a proposta de Grant.

— Já leu nos jornais a expressão quinta-coluna? Sabe mais ou menos o que representa?

— Os inimigos infiltrados no país — murmurou Tommy.

— Exatamente. Essa guerra, Beresford, começou num espírito de otimismo. Não estou me referindo aos nossos dirigentes... que já sabiam que não ia ser fácil, pois tinham informações sobre a eficiência militar, o poderio aéreo, a mortal determinação, a coordenação da máquina militar do inimigo. Falo do povo, dos bons democratas que acreditam nas ilusões; que pensam que a Alemanha está para acabar; que está pronta para ser convulsionada por uma revolução interna; que suas armas são de lata e seus homens são raquíticos, que cairão quando tiverem que marchar. Mera ilusão, meu caro.

"Bem, não foi bem assim que a guerra evoluiu — prosseguiu Grant —; começou mal, para nós, e acabou piorando. Nossos soldados se comportaram bem nos couraçados, nos aviões, nos submarinos. Mas não houve planejamento ou preparo... defeitos talvez inerentes às nossas qualidades. Não queríamos a guerra, não a encaramos com seriedade, não nos preparamos para ela.

"O pior já passou. É verdade que já corrigimos nossos erros e aos poucos estamos colocando os homens nos lugares certos. Estamos começando a coordenar a guerra como deve ser coordenada, e podemos vencer, não se iluda, se não cometermos mais erros. O perigo da derrota não vem de fora, dos bombardeios alemães, da captura dos países neutros, das novas bases de ataque inimigas, mas dos espiões infiltrados. Corremos o mesmo perigo de Troia, o cavalo de madeira dentro da nossa fortaleza. Podem chamar de quinta-coluna, se quiserem, mas está aqui entre nós. São homens e mulheres, uns altamente colocados, outros em postos obscuros, que acreditam nas metas do nazismo e na sua doutrina e que desejam substituir nossas instituições democráticas por esse dogma."

Grant debruçou-se para a frente e no mesmo tom amável confidenciou:

— E nós não sabemos quem são...

— Mas certamente... — arriscou Tommy.

— Ora, é claro que podemos apanhar os óbvios — disse Grant, impaciente. — Isso é fácil. Eu me refiro aos outros. Sabemos que pelo menos dois estão na Marinha, com livre acesso ao Ministério, três no mínimo na Força Aérea e dois que devem ser membros do Serviço Secreto. Sabemos disso pelo que vem acontecendo. Esse esvaziamento de informações do alto para o inimigo demonstra isso claramente.

— Mas como eu poderia ajudá-lo? — perguntou Tommy, perplexo. — Não conheço essas pessoas...

— Exatamente — concordou Grant. — O senhor não as conhece, e nem elas o conhecem.

Grant fez uma breve pausa.

— Essas pessoas estrategicamente posicionadas sabem de tudo. Não podemos negar informações a funcionários desse escalão. Eu não sabia o que fazer, por isso procurei Easthampton. Ele, como o senhor sabe, está aposentado, doente, mas a cabeça ainda funciona às mil maravilhas. Falou no seu nome como se o senhor não estivesse longe do departamento há mais de vinte anos! Ninguém o conhece, seu nome não tem mais nenhuma relação conosco. O que me diz, aceita?

A satisfação de Tommy era tal que não conseguia falar.

— Se aceito? — perguntou, por fim. — Claro! Embora não saiba o que vão querer de mim. Afinal, sou apenas um amador.

— No momento, meu caro Beresford, é de amadores que estamos precisando. Para esse caso, um profissional só viria a complicar mais o assunto. O senhor ocupará a posição do melhor agente que já tivemos.

Tommy olhou para Grant espantado.

— Sim — confirmou Grant. — Morreu na quinta-feira passada no hospital. Atropelado por um caminhão... morreu horas depois. Um acidente... não totalmente ocasional.

— Compreendo — disse Tommy.

— O que nos leva a crer que Farquhar descobriu algo, ou que estava bem perto de descobrir. Foi assassinado para não poder falar.

Grant calou-se por um instante.

— Infelizmente não sabemos o que ele descobriu. Sei que vinha seguindo várias pistas ao mesmo tempo. Antes de morrer, recobrou a consciência, tentou falar, e suas últimas palavras foram: "M ou N... Song Susie."

— Nada animador — comentou Tommy.

Grant sorriu.

— Há mais por trás disso do que o senhor imagina. M ou N são letras que já ouvimos antes. São as iniciais de dois agentes nazistas muito importantes. Soubemos deles pelo trabalho que fizeram em outros países. Eles têm por missão organizar a quinta-coluna nos países estrangeiros e são elementos de ligação entre o país visado e a Alemanha. Sabemos que N é um homem e que M é uma mulher. São agentes de confiança de Hitler, e numa mensagem cifrada, enviada no começo da guerra, captamos a seguinte frase: "Sugiro M ou N para a Inglaterra — plenos poderes."

— Entendo, e Farquhar...

— Deve ter identificado um ou outro. Não sabemos qual. "Song Susie" parece um tanto enigmático, mas Farquhar não falava francês muito bem. No seu bolso encontramos um bilhete de Leahampton, que fica no Sul, uma cidade de veraneio à beira-mar, cheia de hotéis e pensões. Entre eles existe uma pensão chamada Sans Souci...

— Song Susie... Sans Souci — repetiu Tommy.

— Entendeu?

— Quer dizer que vou para lá investigar?

— Sim.

Tommy sorriu.

— Um tanto vago, não é? Nem sei o que estarei procurando...

— Não posso ajudá-lo muito porque não sei nada também. O caso está em suas mãos.

Tommy suspirou, endireitando as costas.

— Talvez seja uma loucura. Não posso ter certeza. Farquhar poderia estar pensando em outra coisa. Estamos apenas conjecturando...

— E essa cidade?

— Como qualquer outra cidade costeira. Velhas solteironas, coronéis aposentados, viúvas empertigadas, alguns elementos dúbios, uns poucos estrangeiros. Aquela mistura de sempre.

— E entre eles M ou N? — perguntou Tommy.

— Não necessariamente. Talvez alguns elementos de ligação deles. Porém tudo indica que eles estão lá, nessa pensão.

— Não tem ideia se devo procurar um homem ou uma mulher?

Grant sacudiu a cabeça.

— Bem, vou tentar — disse Tommy, com um ar resoluto.

— Boa sorte, Beresford. Agora, vamos aos detalhes...

II

Meia hora depois, quando Tuppence voltou, ofegante e ardendo de curiosidade, encontrou Tommy sozinho, assobiando uma melodia popular.

— Bem? — perguntou Tuppence, procurando com uma palavra saber tudo.

— Um emprego.

— Que tipo?

Tommy fez uma careta.

— Trabalho de escritório na Escócia. Sigilo absoluto, mas também nada de palpitante ou aventuresco.

— Para nós dois ou só para você?

— Só para mim.

— Que azar. Como o sr. Carter pode ser tão mesquinho?

— Acho que eles segregam os sexos para esse tipo de emprego. De outro modo, poderia atrapalhar o raciocínio.

— É para cifrar... ou decifrar? É parecido com o emprego de Deborah? Tome cuidado, Tommy, porque as pessoas acabam loucas com esse tipo de trabalho... ou então começam a ter insônia e passam a noite inteira gemendo e repetindo 94786546789 ou coisa parecida, até terem uma crise de nervos e serem internadas num hospício.

— Não se preocupe.

Tuppence calou-se por um instante.

— Posso ir também? — perguntou tristemente. — Não para trabalhar, mas para colocar seus chinelos diante da lareira e preparar suas refeições?

— Infelizmente não, minha querida. Acho horrível nos separarmos...

— Mas você sabe que tem que ir — disse ela, lembrando-se da outra guerra.

— E além do mais — disse Tommy, vacilante —, você tem o seu tricô.

— Tricô? — gritou ela, atirando o suéter no chão. — Odeio lã de uniforme! Gostaria de poder fazer um suéter vermelho...

— Só se desejarem transformar o pobre em alvo.

Tommy sentia-se mal em deixar a mulher. Tuppence, porém, foi firme e encorajadora, admitindo que ele obviamente devia ir e que ela se arranjaria muito bem. Acrescentou que ouvira dizer que estavam precisando de mulheres para esfregar o chão dos postos de primeiros-socorros e que talvez para aquele emprego ela fosse aceita.

Tommy partiu três dias depois. Tuppence acompanhou-o até a estação, corajosamente, sorrindo e fazendo força para não chorar. Somente quando o trem partiu e Tommy viu a figura triste e solitária de Tuppence na plataforma é que sentiu um aperto no coração. Apesar da guerra e das circunstâncias, mesmo assim ele sentia que estava abandonando a mulher. Mas, afinal, ordens são ordens.

Ao chegar à Escócia, Tommy rumou imediatamente para Manchester e de lá seguiu para Leahampton; nessas andanças perdeu três dias.

Instalou-se no principal hotel da cidade e no dia seguinte deu um giro pelos hotéis e pensões, perguntando os preços, vendo os quartos etc.

Sans Souci era uma casa vermelho-escura, estilo vitoriano, situada numa colina, com uma ótima vista para o mar. Um leve odor de poeira e gordura caracterizavam o saguão; um tapete gasto pelo tempo era o cartão de visitas para os recém-chegados. Mas, comparada às outras pensões que Tommy tinha visitado, aquela ainda era a melhor e a mais barata. Ele conversou com a proprietária, a sra. Perenna, no escritório da pensão, que era um quarto pequeno e desarrumado, e onde os dois se debruçaram sobre uma infinidade de papéis.

A sra. Perenna também era uma mulher desarrumada, de meia-idade, com um tufo de cabelos negros encaracolados, recortando um belo rosto, uma maquilagem vagamente desagregada e o sorriso confiante de quem já foi bonita.

Tommy falou numa prima mais velha, a sra. Meadowes, que tinha se hospedado na Sans Souci dois anos atrás. A sra. Perenna lembrava-se da hóspede muito bem... uma senhora encantadora, talvez nem tão idosa assim... muito dinâmica e bem-humorada. Tommy concordou cuidadosamente, pois sabia que na realidade existia uma mulher chamada sra. Meadowes, o departamento o havia informado, mas não valia a pena entrar em maiores detalhes, uma vez que ele nunca vira a referida senhora.

— E como vai a querida sra. Meadowes?

Tommy explicou com tristeza que ela havia morrido. A sra. Perenna fez vários ruídos com os dentes, indicando que sentia muito, enquanto adaptava a fisionomia para lhe dar um ar de luto fechado.

Logo depois recomeçaram a conversar sobre outros assuntos, deixando a falecida de lado. Tinha ela um quarto excelente para o sr. Meadowes, com uma linda vista para o mar; achava que realmente ele tinha razão em querer sair de uma cidade tão deprimente como Londres, principalmente nos dias atuais, com essa epidemia de gripe...

Continuando a falar, a sra. Perenna levou Tommy ao segundo andar para mostrar os quartos. Ao falar no preço semanal, Tommy demonstrou espanto, mas a sra. Perenna insistiu, falando da guerra, do custo de vida etc. Tommy explicou que sua renda tinha diminuído e que os impostos cada dia estavam mais pesados...

— Essa guerra está terrível — gemeu a sra. Perenna.

Tommy concordou e disse que, se fosse por ele, Hitler seria enforcado. Um louco, um verdadeiro louco. A sra. Perenna concordou e disse que o racionamento e a dificuldade dos açougueiros de conseguir carne, com a falta crescente de miúdos e fígado, tornavam o trabalho caseiro um problema quase insolúvel: porém, considerando o parentesco com a sra. Meadowes, ela faria um abatimento de preço.

Tommy prometeu pensar no assunto, e a sra. Perenna perseguiu--o até o portão, falando pelos cotovelos e oferecendo-se a ele de uma maneira quase ofensiva. Tommy considerou com seriedade a beleza da sra. Perenna, ao mesmo tempo perguntando-se sobre a sua nacionalidade. Não devia ser inglesa. O nome podia ser espanhol ou português, mas seria naturalmente a nacionalidade do marido e não a dela. Talvez ela fosse irlandesa, embora não tivesse sotaque; certamente a vitalidade e a exuberância revelavam uma origem celta.

Finalmente marcaram a vinda do sr. Meadowes para o dia seguinte.

Tommy chegou às seis horas em ponto. A sra. Perenna veio recebê-lo, deu uma série de instruções a uma arrumadeira de aspecto meio tonto, que ficou olhando para Tommy de boca aberta, e em seguida levou-o para a sala de visitas.

— Sempre apresento meus hóspedes — disse a sra. Perenna, sorrindo confiante para os olhares desconfiados de cinco pessoas. — Este é o novo pensionista, o sr. Meadowes. Esta é a sra. O'Rourke.

Uma mulher enorme, com olhos pequenos e um grande bigode, sorriu para Tommy.

— O major Bletchley.

Um militar examinou Tommy, inclinando a cabeça.

— O sr. Von Deinim.

Um jovem empertigado, louro, de olhos azuis, que se levantou para cumprimentar Tommy.

— A sra. Minton.

Uma velha senhora, recoberta de contas, que tricotava um suéter cáqui.

— E nossa mais recente hóspede, a sra. Blenkensop.

Essa senhora também tricotava, num canto escuro, um suéter cáqui.

Tommy pensou que fosse desmaiar.

A sra. Blenkensop era Tuppence!

Impossível! Inacreditável! Tuppence, calmamente, tricotando na sala de visitas da pensão Sans Souci.

Ela olhou para ele com um ar de indiferença.

Tommy ficou mais espantado ainda.

Tuppence!

2

Como Tommy conseguiu passar a noite, só ele mesmo sabe. Como medida de segurança, não podia observar demais a sra. Blenkensop.

Na hora do jantar apareceram mais três pensionistas da Sans Souci — um casal de meia-idade: o sr. e a sra. Cayley; e a sra. Sprot, que tinha vindo de Londres com a filha pequena e que obviamente se entediava por ter de ficar em Leahampton; ela sentou-se ao lado de Tommy e de vez em quando o observava com seus olhos azul-claros, perguntando, numa voz ligeiramente anasalada, se não seria melhor voltar para Londres, uma vez que não havia mais o perigo de bombardeios.

Antes que Tommy pudesse responder, sua vizinha do outro lado da mesa, a senhora cheia de contas, interveio:

— Na minha opinião não se deve arriscar coisa alguma quando se tem uma criança. Pobre Betty! A senhora nunca se perdoaria se acontecesse algo com ela... e lembre-se de que Hitler prometeu soltar gases letais sobre a cidade na próxima Blitzkrieg!

— É tudo bobagem essa história de gás — disse o major Bletchley. — Imagine se eles vão perder tempo com gases! Estão preocupados com explosivos e bombas. Foi o que fizeram na Espanha!

A mesa inteira participou da discussão. A voz de Tuppence sobressaiu-se em meio à confusão.

— Meu filho Douglas...

"Douglas! Ora veja!", pensou Tommy. "Por que foi escolher logo esse nome?"

Depois do parco mas pretensioso jantar, que consistiu numa infinidade de pratos sem o menor gosto, os hóspedes voltaram para o salão. Algumas senhoras apanharam o tricô, e Tommy foi obrigado a escutar uma interminável história sobre as experiências militares do major no Canadá.

O jovem de olhos claros, com uma pequena reverência, retirou-se. O major interrompeu a narrativa, dando uma cotovelada nas costelas de Tommy.

— Esse rapaz que saiu agora é um refugiado. Saiu da Alemanha um mês antes de começar a guerra.

— Ele é alemão?

— Sim, mas não é judeu. O pai se enrascou por criticar o regime nazista; dois filhos foram para os campos de concentração. Esse rapaz escapou por um triz.

Naquele momento a sra. Cayley resolveu monopolizar a atenção de Tommy, descrevendo tediosamente, nos mínimos detalhes, as doenças do marido. Quando terminou o rosário infindável de desgraças já estava quase na hora de dormir.

Na manhã seguinte, Tommy levantou-se cedo e foi dar um passeio. Seguiu até o fim da praia e, quando vinha voltando, encontrou uma figura conhecida caminhando na direção oposta. Tommy ergueu o chapéu.

— Bom dia — disse afavelmente. — Hã, sra. Blenkensop, acertei?

A praia estava deserta.

— E quem mais seria? — retrucou Tuppence.

— Como veio parar aqui? É um verdadeiro milagre...

— Não é milagre, meu querido, é simplesmente uma questão de inteligência.

— Está se referindo à sua inteligência?

— É claro. Você e aquele emproado sr. Grant! Espero que aprendam a lição.

— Certamente aprenderemos. Diga-me como conseguiu, estou morto de curiosidade.

— Muito simples. Assim que Grant falou em Carter, senti que o negócio era sério, não podia se tratar de um empreguinho de escritório. Pelo que ele disse, percebi que não seria incluída na história. Resolvi agir. Quando fui servir o xerez, escapuli pela cozinha e pedi a Maureen que me telefonasse, aos gritos, pedindo socorro. Ela foi maravilhosa, representou o papel com perfeição, quase que se poderia ouvir o que ela dizia no prédio ao lado. Eu representei a amiga leal, sincera, sempre pronta a ajudar. Bati a porta da frente, corri para o quarto e fiquei ouvindo a conversa.

— Ouviu tudo, então?

— Tudo — disse Tuppence triunfante.

— E não me disse nada! — queixou-se Tommy, num tom de censura.

— É claro que não. Queria lhe dar uma lição...

— Não tenho culpa.

— O sr. Carter não devia ter me tratado dessa maneira — disse Tuppence. — Além do mais, acho que o Serviço Secreto atualmente não é mais o que era!

— Mas vai voltar a ser com toda a força, você vai ver. Por que escolheu o nome de Blenkensop?

— Por que não?

— Não acha um nome um tanto complicado?

— Foi o primeiro que me ocorreu e facilita para viajar.

— Como assim?

— B, seu bobo. B de Beresford, B de Blenkensop. Minhas iniciais nas malas, na minha roupa de baixo. Patricia Blenkensop em lugar de Prudence Beresford. Por que você escolheu Meadowes?

— Em primeiro lugar não tenho iniciais nas minhas cuecas; em segundo, não fui eu quem escolheu. Foram eles. Eu tive que decorar a vida inteira de um respeitável senhor chamado Meadowes.

— Parabéns. Você é casado ou solteiro?

— Viúvo — respondeu Tommy, com dignidade. — Minha esposa morreu há dez anos, em Singapura.

— Por que em Singapura?

— As pessoas morrem em Singapura também. Por que não?

— Sei lá. Para morrer até que serve... Eu também sou viúva.

— E onde morreu seu marido?

— Quem sabe? Talvez num hospital... mas foi de cirrose hepática.

— Uma morte dolorosa. E seu filho, Douglas?

— Está na Marinha.

— Isso você já nos contou ontem à noite...

— Eu tenho mais dois filhos. Raymond, que está na Força Aérea, e Cyril, o caçula, que está nas colônias.

— E se alguém resolver investigar essa família?

— Eles não são Blenkensops. Blenkensop foi meu segundo marido. Meu primeiro marido, pai das crianças, chamava-se Hill. No catálogo telefônico existem pelo menos três páginas com o nome Hill. É impossível verificar um por um.

Tommy suspirou.

— Seu mal sempre foi o exagero. Dois maridos, três filhos! É demais. Vai acabar caindo em contradição.

— De jeito algum. Os filhos até servem para me ajudar. Além do mais, não estou contratada pelo Serviço Secreto. Estou trabalhando por conta própria para me divertir. É o que pretendo fazer.

— Pelo menos é o que parece... — murmurou Tommy, tristemente. — No fundo, toda essa história não me parece certa...

— Por quê?

— Bem, você está na pensão há mais tempo do que eu. Acha realmente que um daqueles hóspedes possa ser um perigoso agente secreto?

— É meio difícil — respondeu Tuppence.

— Tirando aquele rapaz...

— Carl von Deinim? A polícia geralmente investiga com cuidado os refugiados.

— Creio que sim. Mas há sempre um jeito de burlar a segurança! Ele é um rapaz bem simpático.

— E daí? Você acha que as garotas, por causa disso, vão lhe fornecer informações? Não vi filhas de generais ou almirantes na pensão...

— Ora, Tommy, não é hora para brincadeiras...

— Não estou brincando. Acho que estamos numa pista errada, é só.

— Ainda é cedo para chegarmos a alguma conclusão — disse Tuppence, pensativa. — Não se trata de um negócio que possa ser feito abertamente. O que acha da sra. Perenna?

— É uma boa pergunta — respondeu Tommy —; devemos ficar de olho aberto com ela!

— E nós dois? — perguntou Tuppence. — Como vamos trabalhar?

Tommy refletiu sobre a pergunta por alguns instantes.

— Para começar, não devemos ser vistos juntos.

— Seria fatal se descobrissem que já nos conhecemos... isso é óbvio. Estou me referindo ao nosso esquema de comportamento. Talvez eu dê em cima de você...

— Como?

— Sim. Dou um pouco em cima de você. Por seu lado, você tenta escapar, mas, sendo um cavalheiro, nem sempre consegue. Lembre-se de que já fui casada duas vezes e que estou procurando um terceiro marido.Você faz o papel de vítima. De vez em quando eu encontro você num café, ou dando uma volta. O pessoal da pensão acabará caçoando da minha pertinácia...

— Parece um bom plano...

— Um homem caçado por uma mulher é sempre motivo de hilaridade. Isso nos dá um álibi para podermos nos encontrar. Sempre que formos vistos juntos o comentário será: lá vai o pobre Meadowes...

Tommy agarrou o braço de Tuppence.

— Olhe ali, na frente...

Perto de um abrigo antiaéreo estava um rapaz conversando com uma moça. Ambos estavam absortos em um animado diálogo.

— Carl von Deinim — murmurou Tuppence. — E quem será aquela moça?

— Seja lá quem for, é muito bonita.

Tuppence concordou, examinando cuidadosamente o rosto intenso da moça; seu corpo escultural era modelado pelo suéter de lã. Ela falava animadamente.

— Acho que está na hora de nos despedirmos — murmurou Tuppence.

— Concordo — respondeu Tommy.

Tommy deu meia-volta. Caminhou pela praia e logo encontrou o major Bletchley, que o encarou desconfiado, antes de dizer:

— Bom dia!

— Bom dia — respondeu Tommy.

— Também costuma levantar cedo? — perguntou o major.

— Peguei esse hábito quando morei no Oriente. Hoje em dia, não consigo dormir até tarde.

— No que faz muito bem — disse o major. — Fico doente quando vejo essa rapaziada de hoje! Banho quente, café na cama, às dez horas da manhã! Não me admira que os alemães estejam ganhando a guerra. Falta vigor aos nossos homens; nem o Exército é mais o que era... deu para mimar os soldados. Só falta botá-los na cama com uma bolsa de água quente na hora de dormir.

Tommy concordou com a cabeça.

— Disciplina é o que precisamos — prosseguiu o militar, sentindo-se encorajado pelo tom de aprovação de Tommy —; como vamos ganhar a guerra se não tivermos disciplina? Dizem que certos soldados costumam desfilar de short, por causa do calor. Deste jeito perdemos a guerra. Short! Veja o senhor...

Tommy tentou dizer que o mundo realmente estava mudando.

— É essa história de democracia — prosseguiu o major, com ar de tristeza. — Não existe mais hierarquia, uma vez que os oficiais comem no mesmo refeitório que os soldados! Aff! Os próprios soldados não acham isso bom. Sabem que esse exagero democrático vai nos levar à falência.

— Pessoalmente desconheço as normas de procedimento do Exército — interveio Tommy —, pois...

O major o interrompeu com um gesto, olhando para os lados.

— Tomou parte na última guerra?

— Sim.

— Foi o que eu pensei. Vi pelo seu jeito que o senhor já teve treinamento militar. Que regimento?

— No quinto de infantaria — respondeu Tommy, lembrando-se da ficha de Meadowes.

— Ah, esteve em Salônica.

— Sim.

— Eu estive em Mespot.

O major voltou a mergulhar no passado. Tommy ouviu pacientemente o infindável relato.

— E hoje? — perguntou, concluindo. — Acha que eles têm intenção de me aproveitar? Qual o quê! Estou velho demais. Velho! Com um braço amarrado eu ainda seria de mais utilidade do que esses meninos de hoje!

— Pelo menos não iria atrapalhar tanto — comentou Tommy em tom de brincadeira.

— Como disse? — perguntou o militar, não entendendo a piada; o senso de humor não era definitivamente o forte do major.

Tommy rapidamente mudou de assunto.

— O senhor sabe alguma coisa sobre a sra. Blenkensop? Acho que é esse o sobrenome dela...

— É Blenkensop, sim. Nada feia, aliás. Um pouco dentuça, talvez... e fala demais. Uma senhora distinta, mas meio tola! Não, não a conheço. Ela está aqui há pouco tempo. Por que pergunta?

Tommy explicou.

— Acabei de encontrá-la. Ela costuma sempre sair cedo?

— Não sei. Mas geralmente as mulheres gostam de dar uma voltinha antes do café.

— Não sou muito de conversar de manhã, por isso espero não ter sido grosseiro com a pobre mulher. De manhã gosto de fazer minha ginástica.

O major Bletchley achou muito natural.

— Estou com o senhor. As mulheres têm o seu lugar, mas nunca com o estômago vazio — disse ele, dando uma pequena risada. — É melhor tomar cuidado, meu velho... ela é viúva.

— É?

O major deu uma cotovelada amigável nas costas de Tommy.

— Todo o mundo sabe como são as viúvas. Já enterrou dois maridos e agora está à cata de um terceiro. Meu conselho, Meadowes: olho vivo!

Satisfeito com a piada o major, afastou-se, preparando-se para uma corridinha até a pensão.

Nesse ínterim, Tuppence tinha prosseguido sua caminhada, aproximando-se do abrigo onde o jovem casal conversava. Ao passar, conseguiu ouvir algumas palavras.

—Você precisa tomar cuidado, Carl. A menor suspeita...

Tuppence não conseguiu ouvir o resto. Que estranho! No entanto, aquelas palavras davam margem a um sem-número de interpretações lógicas. Atravessando a rua, Tuppence ainda conseguiu ouvir a seguinte frase:

— Esses detestáveis ingleses...

As sobrancelhas da sra. Blenkensop se arquearam ligeiramente. Esta frase não era propriamente uma consideração muito saudável para ser emitida por um refugiado, perseguido pelo nazismo e abrigado pelos ingleses. Ela irritou-se com a burrice e a ingratidão do rapaz.

Resolveu voltar mais uma vez mas, quando chegou no abrigo, os dois tinham ido embora: a moça em direção à praia, e Carl von Deinim em direção a Tuppence.

Ele não a teria visto se não fosse pela própria hesitação de Tuppence em reconhecê-lo. Ele bateu os calcanhares e curvou-se. Tuppence sorriu.

— Bom dia, sr. Von Deinim. Que dia lindo, não é?

— É mesmo... o tempo está maravilhoso.

— Geralmente não saio antes do café, mas hoje foi impossível resistir. Além do mais, não consegui dormir muito bem... creio que estranhei a cama, isso geralmente acontece até a gente se acostumar.

— É verdade.

— Essa voltinha me abriu o apetite.

—Vai para a Sans Souci, agora? Permite que eu a acompanhe?

Carl von Deinim seguiu Tuppence, respeitosamente.

— O senhor também veio passear de manhã para abrir o apetite?

Ele sacudiu a cabeça.

— Não, já tomei café. Estou indo para o trabalho.

— Trabalho?

— Sou químico.

"Então é essa sua profissão!", pensou Tuppence.

— Vim para a Inglaterra para escapar à perseguição nazista — prosseguiu Carl von Deinim. — Estava sem dinheiro e sem amigos. Estou procurando ser útil.

Von Deinim olhou para a frente. Tuppence sentiu uma corrente profunda e contraditória de sentimentos.

— Entendo, entendo perfeitamente.

— Tenho dois irmãos presos em campos de concentração. Meu pai morreu preso, e minha mãe, de dor e de medo.

"Ele fala como se tivesse decorado uma lição", pensou Tuppence, olhando para o rapaz, que continuava impassivelmente a olhar para a frente.

Andaram em silêncio por alguns instantes. Dois desconhecidos passaram por eles. Um olhou para Carl e murmurou:

— Aposto que aquele sujeito é alemão.

Tuppence viu como Carl enrubesceu.

De repente, revoltado, ele explodiu.

— A senhora ouviu o que eles disseram?

— Meu caro — disse Tuppence, com ênfase —, não seja tolo. Procure compreender o problema.

— Como assim? — perguntou ele.

— O senhor é um refugiado. Precisa separar o joio do trigo. Está vivo, é o que importa no momento. Vivo e livre. O problema deles é outro; estamos em guerra, e o senhor é alemão. — Ela riu. — Não pode esperar que um homem da rua saiba a distinção que existe entre um alemão e um nazista.

Von Deinim continuou olhando para ela com seus olhos azuis, comoventes de afetividade reprimida. Riu, de repente.

— Já ouvi dizer que entre os índios vermelhos os únicos que prestam são os que estão mortos. Como sou um bom alemão, não posso chegar atrasado. Com licença. Bom dia.

Outro cumprimento cerimonioso. Tuppence observou enquanto ele se afastava.

"Sra. Blenkensop! A senhora escorregou, um pouco, quando falou com ele. Mais atenção no futuro", pensou Tuppence, se policiando. "E agora vamos ao café."

A porta da pensão estava aberta. A sra. Perenna conversava animadamente com uma pessoa.

— Diga a ele o que eu achei da última remessa de margarina. Compre o presunto cozido no Quiller... é mais barato... e tome cuidado com os repolhos...

Ela calou-se ao ver Tuppence.

— Bom dia, sra. Blenkensop. Que madrugadora! Ainda não tomou café? Está pronto lá na sala de jantar. Esta é minha filha Sheila, que a senhora ainda não conhece. Ela estava fora e só voltou ontem à noite.

Tuppence olhou para a moça, que tinha um rosto bonito e inteligente.

— Minha filha Sheila Perenna.

Tuppence murmurou algumas palavras simpáticas e foi para o refeitório, onde encontrou a sra. Sprot com a filha, e a monumental sra. O'Rourke.

— Bom dia — disse Tuppence.

— Bom dia — trovejou a sra. O'Rourke, suplantando o anêmico bom-dia da sra. Sprot, e observando Tuppence com atenção. — É ótimo sair passeando de manhã. Bom apetite.

A sra. Sprot conversava com a filha.

— O leite e o pão estão gostosos? — perguntava a mãe, enquanto tentava enfiar mais uma colherada na boca da criança, que com bastante agilidade esquivava-se, pois estava mais interessada em olhar para Tuppence.

A criança apontou com um dedinho sujo de leite para Tuppence e murmurou:

— Ga... ga... booo.

— Ela gostou da senhora — disse a sra. Sprot. — Geralmente é muito acanhada com estranhos.

— Booo — repetiu Betty. — Ah... goo... po... po — prosseguiu com ênfase.

— E o que quer dizer isso? — perguntou a sra. O'Rourke, interessada.

— Ela ainda não fala muito bem — confessou a sra. Sprot. — Está com um pouco mais de dois anos e não dá ainda para entender... mas ela diz "mamãe", não é, meu bem?

Betty olhou com seriedade para a mãe e sentenciou:

— Hugu... gugu...

— É uma língua própria que os anjos inventaram — trovejou a sra. O'Rourke. — Diga "mamãe", meu bem.

Betty olhou para a sra. O'Rourke, franziu a testa, fez um muxoxo e observou enfática:

— Neper...

— Vê como a coitadinha está tentando? Que menina maravilhosa!

A sra. O'Rourke levantou-se, sorriu para Betty e retirou-se.

— Da... da... da... — disse Betty com satisfação, batendo com a colher na mesa.

— O que quer dizer "neper"? — perguntou Tuppence.

— É o que ela costuma dizer quando não gosta de alguma coisa — respondeu a mãe, corando.

— Foi o que eu pensei — disse Tuppence.

As duas riram.

— A sra. O'Rourke é bem intencionada, mas é uma mulher assustadora.

Inclinando a cabeça de lado, Betty sorria para Tuppence.

— Ela realmente gostou da senhora — disse a sra. Sprot.

Tuppence sentiu uma ponta de ciúme no comentário da mãe.

— Criança sempre gosta de novidade — disse Tuppence, tentando corrigir a situação.

A porta abriu-se, e o major Bletchley e Tommy apareceram. Tuppence imediatamente partiu para o ataque.

— Ah! Sr. Meadowes, ganhei a corrida, mas guardei um pouco de café para o senhor...

Ela fez um gesto, indicando uma cadeira ao seu lado.

— Ah, obrigado — disse Tommy, esquivando-se e indo para o outro lado da mesa.

— Fuuun — disse Betty Sprot, soprando uma golfada de leite no major, que sorriu satisfeito.

— E como vai a minha querida Bibi nesta manhã? — disse o militar, brincando de esconde-esconde com um jornal.

Betty riu satisfeita.

Tuppence, no entanto, estava preocupada.

"Deve haver um erro. Não há espionagem nesta casa. É impossível!"

Acreditar que numa pensão pacata pudesse existir um quartel-general da quinta-coluna era realmente demais!

3

A sra. Minton tricotava no jardim de inverno. Era uma mulher magra e angulosa com um pescoço cheio de veias. Vestia um suéter azul-celeste, saia de tweed, vários colares de contas que de certa forma realçavam uma pequena corcunda. Recebeu Tuppence com alegria.

— Bom dia, sra. Blenkensop. Dormiu bem?

A sra. Blenkensop disse que não costumava dormir bem as primeiras vezes em que dormia em cama diferente. Estranhava o colchão.

— Que engraçado, eu também!

— Não é uma coincidência? — perguntou a sra. Blenkensop. — Bonito o ponto desse suéter — disse ela, olhando para o tricô da sra. Minton.

A sra. Minton corou de satisfação.

— É um ponto bem original, mas nada complicado. Se quiser eu lhe ensino.

— Agradeço muito — disse a sra. Blenkensop —, mas sou péssima no tricô... não sei seguir os moldes. Veja esta malha que estou fazendo para os soldados... não sei onde errei.

A sra. Minton deu uma olhada técnica no suéter cáqui e apontou com gentileza o erro. Tuppence entregou-lhe o tricô, para ser corrigido, agradecendo a bondade da professora.

— Ora, não é nada. Faço tricô há anos!

— E eu só comecei por causa dessa horrenda guerra. Eu me sentiria muito mal se não participasse...

— É claro. Ainda mais a senhora, que tem um filho na Marinha, não é?

— Sim, meu primogênito. Um rapaz de ouro, sra. Minton — prosseguiu Tuppence animadamente. — Não é por eu ser mãe dele que digo isso. Tenho um outro filho na Força Aérea, e Cyril, meu caçula, está na França...

— Meu Deus, como a senhora deve viver aflita!

"Oh! Derek, Derek", pensou Tuppence, "metido naquele inferno, e eu aqui, representando uma preocupação que realmente sinto!".

— Devemos ter coragem — disse Tuppence. — Esperar que tudo acabe logo! Outro dia uma pessoa muito importante do governo me disse, confidencialmente, que os alemães não conseguirão continuar lutando por mais de dois meses...

A sra. Minton assentiu com a cabeça tão violentamente que quase partiu os colares.

— É no que eu acredito também — disse ela baixando a voz, misteriosamente. — Ouvi dizer que Hitler está sofrendo de uma doença... incurável... e que até agosto, no máximo, estará totalmente louco.

— Essa história de Blitzkrieg é o esforço final dos alemães. Ouvi dizer que o racionamento na Alemanha está assustador, os operários estão descontentes. Em suma, um país à beira da falência.

— O quê? O quê?

O sr. e a sra. Cayley vinham entrando pelo jardim; o sr. Cayley perguntava ansioso sobre o que elas estavam falando, enquanto a esposa colocava um cobertor sobre suas pernas.

— Sobre o que estavam falando? — perguntou novamente o sr. Cayley.

— Sobre a guerra e que tudo estará terminado até o outono — respondeu a sra. Minton.

— Bobagem — disse o sr. Cayley. — Essa história ainda vai se arrastar por uns seis anos.

— Oh, sr. Cayley — disse Tuppence —, o senhor não acredita nisso, acredita?

O sr. Cayley olhou em volta, desconfiado.

— Será que tem uma corrente de ar aqui? Talvez fosse melhor mudar a cadeira para aquele canto...

Fizeram a mudança do sr. Cayley; sua esposa, uma mulher ansiosa cuja única meta na vida era servir e antecipar as necessidades do marido, andava de um lado para o outro, apanhando almofadas e cobertores e perguntando:

— E agora, Alfred? Está bem assim? Não quer seus óculos escuros? A luz está um pouco forte, hoje.

— Não, não, fique quieta, Elizabeth. Tem meu cachecol aí? O de seda. Não faz mal. Acho que vou ficar bem assim... só não quero esquentar demais meu pescoço com um cachecol de lã... É... talvez seja melhor você ir apanhar meu cachecol de seda.

O sr. Cayley voltou a atenção para os problemas públicos.

— Como eu disse... pelo menos uns seis anos — sentenciou satisfeito com os protestos das duas senhoras. — As senhoras estão se deixando levar pela ilusão. Eu conheço a Alemanha, conheço bem demais. Antes de me aposentar, por causa dos negócios eu vivia indo e vindo para Berlim, Hamburgo, Munique... conheço o país inteiro. Posso assegurar que a Alemanha tem condições de lutar indefinidamente. Agora, então, que se aliou à Rússia...

O sr. Cayley discursou triunfante, elevando e baixando a voz em cadências melancólicas, só interrompendo a conferência para trocar de cachecol.

A sra. Sprot entrou com Betty, carregando um cachorro de lã sem uma orelha e um casaquinho.

— Vamos, Betty, vista Bonzo enquanto me apronto para darmos uma volta.

O sr. Cayley continuava impávido, recitando dados estatísticos, todos em favor do inimigo. O monólogo era pontuado pelo alegre balbuciar de Betty, ocupada em vestir Bonzo.

— Boon... bi... gogo...

De repente, um pássaro pousou perto dela; a criança estendeu as mãos para apanhá-lo, mas a ave, assustada, voou para longe.

— Dicky... — disse Betty.

— Essa criança está aprendendo a falar muito depressa — comentou a sra. Minton. — Diga ta-ta, Betty, ta-ta.

Betty olhou para ela com frieza e comentou: "Blu!", em seguida forçou a passagem do suéter por um braço de Bonzo, apanhou uma almofada e escondeu o cachorro. Rindo da brincadeira ela gritava:

— Cadê? Au, au! Cadê?

A sra. Minton, que resolvera servir de intérprete, explicava aos presentes com orgulho:

— Ela adora brincar de esconde-esconde. Vive escondendo as coisas! Onde está Bonzo? — perguntou, fingindo surpresa. — Onde está Bonzo? Onde terá se metido?

Betty dobrava no chão de tanto rir.

O sr. Cayley, sentindo ter perdido a plateia na hora em que ia explicar como se processava a substituição das matérias-primas na Alemanha, tossiu.

A sra. Sprot entrou com um chapéu na cabeça, apanhou Betty e saiu.

As atenções voltaram para o conferencista, que parecia ultrajado.

— O senhor dizia? — perguntou Tuppence.

— Aquela senhora vive largando a criança pelos cantos, esperando que as pessoas tomem conta da filha por ela! Creio que vou precisar do cachecol de lã, minha cara, o sol está sumindo!

— Por favor, sr. Cayley, continue sua explanação. Estava tão interessante — disse a sra. Minton.

Enternecido pelas manifestações da plateia, o sr. Cayley retomou o discurso, apertando o cachecol de lã em torno do pescoço.

— Como eu estava dizendo, a Alemanha aperfeiçoou de tal forma seu sistema de...

— E a senhora, o que pensa dessa guerra, sra. Cayley? — perguntou Tuppence.

A sra. Cayley assustou-se.

— O que eu penso? Como assim?

— Acha que vai durar uns seis anos?

A sra. Cayley pareceu cética.

— Espero que não. Seis anos é muito tempo!

— Realmente. Mas o que pensa da guerra?

A sra. Cayley pareceu espantada com a pergunta.

— Não sei... não tenho a menor ideia...Alfred é quem...

— Mas não é sua a opinião?

— Não sei. É difícil dizer, não é?

Tuppence sentiu-se invadida por uma súbita cólera. Uma tola como a sra. Minton, um ditador como o sr. Cayley e uma débil mental como à sra. Cayley não podiam ser os típicos representantes da burguesia inglesa. E que dizer da sra. Sprot, com seus olhos esbugalhados e seu ar vago? O que ela poderia descobrir naquela maldita pensão? Nenhuma daquelas pessoas certamente seria...

Os sentidos de Tuppence se alertaram, interrompendo seu pensamento. Uma sombra projetou-se atrás dela. Virou a cabeça e encontrou a sra. Perenna parada no terraço, observando o grupo. Alguma coisa nos seus olhos, desprezo, talvez?, uma certa condescendência...

Tuppence refletiu que precisava investigar melhor a sra. Perenna.

II

Com o correr das horas, Tommy se tornava cada vez mais íntimo do major.

— Trouxe os tacos de golfe, Meadowes?

Tommy disse que sim.

— Sou muito observador — disse o major. — Ótimo! Jogaremos umas boas partidas. Já jogou no campo daqui?

Tommy disse que não.

— Não é nada mau. Talvez um tanto pequeno, mas é bem tratado e tem uma bela vista. Além do mais, não fica cheio. Que tal se jogássemos hoje de manhã?

— Obrigado, aceito.

— Estou satisfeito que tenha vindo para cá — disse o major, enquanto subiam o morro. — Está cheio de mulheres, acabam irritando os nervos! Ainda bem que está aqui para dividir comigo o peso! Não se pode contar com Cayley... é uma farmácia ambulante. Só fala da saúde, dos tratamentos que faz e das pílulas que toma. Se ele jogasse fora metade dos remédios e desse um bom passeio a pé, diariamente, garanto que em um mês estaria curado. O outro homem é Von Deinim, e para ser franco, Meadowes, não tenho muita confiança nele.

— Não?

— E sabe por quê? Esse negócio de refugiado é perigoso. Se fosse comigo, mandava segregar todos, por medida de segurança.

— Seria uma atitude um tanto drástica!

— Guerra é guerra, meu caro. Eu desconfio desse Carl. Para começar, não é judeu; além do mais, veio para cá um mês antes de começar a guerra. Dá para desconfiar.

— O senhor acha... — insinuou Tommy.

— Espionagem, meu caro, não tenho a menor dúvida!

— Mas aqui por perto não há segredos militares ou navais de importância!

— Aí é que está! Se ele estivesse em Plymouth ou Portsmouth, estaria sendo vigiado. Aqui, ninguém liga. Mas estamos na orla marítima, não estamos? A verdade é que o governo é muito mole com os estrangeiros; qualquer pé-rapado vem para cá contar histórias sobre os campos de concentração... Veja esse rapaz, por exemplo. Conhece alguém mais arrogante? É nazista, não tenha dúvida.

— Acho que um bom xamã bem que viria a calhar neste país — disse Tommy.

— Hã, como assim?

— Para identificar os espiões — explicou Tommy, sério.

— Essa é boa, muito boa.

Nessa conversa chegaram ao clube.

O nome de Tommy foi dado como sócio temporário; em seguida, foi apresentado ao secretário, um senhor idoso e distraído; e depois de ter pago a matrícula, Tommy encaminhou-se com o major para o campo.

Tommy era um péssimo jogador, mas não chegava a destoar do major, que acabou ganhando a partida.

— Boa partida, Meadowes, boa partida! Você deu azar naquela jogada. Precisamos jogar sempre. Venha comigo que vou lhe apresentar ao pessoal. São simpáticos, embora alguns pareçam umas velhas idosas. Ah! Lá está Haydock... que foi da Marinha. Mora na casa ao lado da Sans Souci e é o chefe do Serviço de Voluntários.

O comandante Haydock era um velho robusto, queimado de sol, de olhos azuis, e tinha o hábito de falar gritando.

Cumprimentou Tommy amigavelmente.

— Vai dividir a responsabilidade com Bletchley, lá na Sans Souci? Ele está meio sobrecarregado de mulheres, não é, major?

— Não sou exatamente um Don Juan — disse Bletchley.

— Não seja modesto, rapaz — disse Haydock. — Elas não são seu tipo. Um bando de gatas velhas preocupadas com tricô e fofoca.

— Está esquecendo a srta. Perenna.

— Ah! Sheila... tem razão. Um pedaço de mulher.

— Estou meio preocupado com ela — disse Bletchley.

— Por quê? Quer um drinque, Meadowes? E você, major?

Pediram as bebidas ao garçom e sentaram-se na varanda. Haydock repetiu a pergunta.

— Aquele cara alemão. Ela tem conversado muito com ele.

— Será que está se apaixonando? Isso é mau. Compreendo que ela ache o rapaz atraente, mas diante da situação em que estamos isso não é possível. Confraternizando com o inimigo! Que raça de mulheres é essa? Onde está o patriotismo da mulher inglesa? Até parece que não existem mais homens aqui!

— Sheila é uma moça estranha, às vezes fica deprimida, não fala com as pessoas...

— Sangue espanhol — explicou o comandante. — O pai dela era meio espanhol, não era?

— Não sei, só sei que o sobrenome dela parece ser espanhol.

O comandante olhou para o relógio.

— Está na hora das notícias. Vamos lá para dentro ouvir o rádio.

O noticiário foi parco e limitado; uma mera repetição do que já havia sido publicado no jornal. Depois de discutir as últimas peripécias da Força Aérea... homens de primeira, verdadeiros leões... o comandante discorreu sobre sua teoria bélica favorita, isto é, que mais cedo ou mais tarde os alemães iam tentar desembarcar em Leahampton por ser um porto sem importância geográfica.

— Um lugar que não tem sequer um canhão! O fim!

A discussão não continuou por muito tempo, pois o major e Tommy tinham que almoçar na pensão. Haydock convidou Tommy para visitá-lo em casa: linda vista, algumas peças curiosas.

— Não esqueça de levá-lo — recomendou o comandante a Bletchley.

Combinaram de tomar alguns drinques no dia seguinte na casa do comandante.

III

Depois do almoço, a pensão ficou silenciosa. O sr. Cayley foi descansar com sua fiel esposa; a sra. Blenkensop foi levada pela sra. Minton para um galpão onde se empacotavam e remetiam artigos para as linhas de frente. O sr. Meadowes passeava calmamente pela praia. Comprou alguns cigarros, o último número da Punch e, após alguns minutos de aparente indecisão, tomou um ônibus com o letreiro "Velho Píer".

Esse píer ficava na outra extremidade da praia; era considerado pelos corretores de imóveis o pior lugar de Leahampton. Era a zona pobre. Tommy caminhou pelo píer, uma velha construção em ruínas. Alguns caça-níqueis abandonados completavam a desolação da paisagem. O lugar estaria totalmente deserto se não fossem algumas crianças, correndo e gritando como se fossem gaivotas, e um homem pescando.

O sr. Meadowes foi até o final do píer e olhou para a água.

— Pescou alguma coisa? — perguntou gentilmente.

O pescador sacudiu a cabeça.

— Não é sempre que mordem o anzol — respondeu o sr. Grant, soltando um pouco a linha. — E você, Meadowes? — perguntou, sem voltar a cabeça.

— Nada, por enquanto. Estou no começo...

— Fale.

Tommy sentou-se ao lado de Grant, de forma que pudesse observar toda a extensão do píer.

— Acho que comecei bem. O senhor já recebeu a lista das pessoas? — Grant assentiu com a cabeça. — Fiz boa amizade com o major Bletchley; jogamos golfe hoje de manhã. Ele parece ser o típico oficial aposentado. Tão típico que dá para desconfiar. Cayley parece realmente um inválido hipocondríaco, mas convenhamos que não é um papel difícil de representar. Além do mais, segundo ele próprio, conhece a Alemanha palmo a palmo.

— Estranho — disse Grant.

— Temos o jovem Von Deinim...

— Não preciso dizer que estou interessadíssimo nele.

— Acha que é o N?

Grant sacudiu a cabeça.

— Não, não creio. Segundo imagino, N não pode ser alemão.

— Mesmo se esse alemão for alguém perseguido pela Gestapo?

— Nem mesmo assim. Eles sabem que nós vigiamos todos os refugiados. Além do mais... todos os refugiados procedentes dos países inimigos na faixa etária de 16 a sessenta anos serão segregados. Não sei se o inimigo já sabe disso, mas é uma medida previsível. Eles não arriscariam colocar o chefe da espionagem numa posição em que pudesse ser segregado. Portanto, N deve ser ou natural de um país neutro, ou inglês. O mesmo se aplica a M. Minha opinião sobre Deinim é a seguinte: ele pode ser um elo na cadeia. N ou M podem não estar na Sans Souci, e através de Carl poderemos chegar a eles. Creio que é uma possibilidade bastante viável, uma vez que os hóspedes da pensão não parecem ser as pessoas que procuramos.

— Já foram investigados?

Grant suspirou, como se estivesse com vergonha.

— Não, para mim isso seria impossível. Eu poderia facilmente recorrer ao meu departamento para investigá-los, mas é arriscado demais, Beresford. Pois é lá mesmo que mora o perigo. É só desconfiarem de que estou de olho na Sans Souci, por qualquer razão, e eles mudam de tática. Foi por isso que chamei um estranho, por isso você precisa trabalhar no escuro, sem nossa colaboração. É nossa única chance. Só consegui investigar uma pessoa...

— Quem, senhor?

Grant sorriu.

— Carl von Deinim. Foi mais fácil por se tratar de serviço de rotina. Não tem ligação com o meu departamento, e sim com o Serviço de Imigração.

— E o que descobriu?

Um estranho sorriso assomou aos lábios de Grant.

— Ele é exatamente quem diz ser. O pai foi contra o regime, foi preso e morreu num campo de concentração. Os irmãos mais velhos de Carl estão nos campos. A mãe morreu de desgosto um ano atrás. Carl fugiu para a Inglaterra um mês antes de estourar a guerra. Von Deinim ofereceu-se como voluntário contra os alemães, tem trabalhado como químico industrial, e seu trabalho tem sido maravilhoso, principalmente em relação ao problema de imunização de certos gases e nas experiências de descontaminação.

— Então não tem nada contra ele? — perguntou Tommy.

— Não disse isso. Nossos amigos alemães são conhecidos por sua eficácia. Caso Von Deinim fosse enviado como agente especial para cá, eles tomariam cuidado para que a ficha coincidisse com o relato. Quem sabe se a família dele não está incluída nesse complô? Não seria impossível, considerando-se o regime nazista! Ou quem sabe ele não seja Carl von Deinim, e sim um impostor?

— Entendo — disse Tommy. E acresentou: — Ele parece ser um bom sujeito.

Grant deu um suspiro.

— Geralmente são bons sujeitos. Nosso trabalho é muito estranho. Respeitamos nossos adversários, e eles nos respeitam. Acabamos nos afeiçoando aos nossos inimigos mesmo quando estamos tentando destruí-los.

Tommy pensou nas horríveis discrepâncias da guerra.

— Existem outros, porém — prosseguiu Grant —, por quem não temos respeito ou afeto. São os traidores, os que traem o próprio país em troca de vantagens pessoais ou dinheiro.

— Compreendo perfeitamente — disse Tommy. — São os piores!

— E merecem a morte.

— Mas existem, realmente, pessoas assim?

— Em todo o mundo. No nosso departamento, nas Forças Armadas, no Parlamento, nos ministérios. Temos que acabar com eles. E temos que começar por cima, pois esses zés-ninguém que vendem informações nos parques não sabem sequer para quem trabalham. Nós queremos os maiorais, os que podem realmente destruir o país!

— E vamos conseguir.

— Como sabe? — perguntou Grant.

— O senhor mesmo disse: é uma necessidade.

O pescador olhou para o seu subalterno com respeito e admiração.

— Assim que se fala, Beresford — disse baixinho. — E quanto às mulheres, tem alguma suspeita?

— Acho a dona da pensão meio estranha.

— A sra. Perenna?

— É. Sabe algo sobre ela?

— Posso tentar descobrir os antecedentes dela — disse Grant. — Mas já disse que não posso me arriscar.

— Nesse caso, é melhor nem tentar. A sra. Perenna é a única mulher que me parece suspeita. De resto, temos uma mãe com uma filha pequena, uma solteirona metódica, a estúpida mulher do hipocondríaco e uma gigantesca irlandesa. Todas me parecem inofensivas.

— Só tem essas mulheres?

— E a sra. Blenkensop, que chegou há três dias.

— E?

— É minha esposa.

— O quê?

Com o susto, Grant elevou a voz.

— Não lhe disse, Beresford, para guardar segredo absoluto sobre toda a operação?

— Disse, mas ouça...

Tommy descreveu, em poucas palavras, o que havia ocorrido, sem se atrever a olhar para Grant. Só procurou esconder o orgulho que sentia da mulher.

Quando Tommy calou-se, houve uma pausa. De repente, Grant começou a rir.

— Tiro o chapéu para sua mulher.

— Eu também — concordou Tommy.

— Quem vai achar graça é Easthampton. Ele me preveniu para não deixá-la de fora, a não ser que eu estivesse disposto a arcar com as consequências. E eis o resultado! Por aí você vê o cuidado que precisamos tomar. Tive o cuidado de averiguar se você estaria sozinho em casa com sua mulher; quando a ouvi falando pelo telefone com a vizinha e em seguida bater a porta da rua, fiquei totalmente convencido de que ela tinha saído. Sua esposa é bem esperta. Diga a ela que reconheço meu erro.

— Quer dizer que de agora em diante ela está incluída no plano?

— Não temos outra saída — disse Grant, fazendo uma careta. — Peça a ela que conceda a honra de trabalhar conosco nesse caso.

— Eu transmitirei o recado — disse Tommy, rindo.

— Você não conseguiria convencê-la a ir para casa e ficar em paz?

— O senhor não conhece Tuppence.

— Estou começando a conhecer. Só queria mantê-la afastada por causa do perigo. E se um dos dois for descoberto...

Grant deixou a frase pairando no ar.

— Compreendo.

— Mas suponho que nem você seria capaz de convencer sua mulher a se afastar do perigo.

— Não acho que seria uma boa ideia... — respondeu Tommy. — Tuppence e eu temos outra maneira de encarar a vida. Enfrentamos os desafios juntos!

Tommy lembrou-se de uma frase, dita no final da outra guerra: "Um risco em parceria..."

A vida dos dois sempre foi e sempre seria: um risco em parceria...

4

Antes do jantar, quando Tuppence entrou na sala da pensão, só encontrou a sra. O'Rourke, sentada numa poltrona, perto da janela, parecendo um gigantesco Buda. Ela recebeu Tuppence com alegria.

— Ah, sra. Blenkensop! A senhora é como eu, gosta de ficar uns intantes na sala, descansando antes do jantar; aliás, esta sala está agradabilíssima... foi ótimo terem deixado as janelas abertas, assim a gente não fica sentindo o cheiro de comida. Não acha insuportável chegar num restaurante ou num hotel e sentir o cheiro de cebola ou de repolho? Sente-se aqui, sra. Blenkensop, e conte-me o que fez hoje o dia inteiro.

Tuppence sentia-se desagradavelmente fascinada pela sra. O'Rourke, que lhe lembrava uma bruxa de conto de fadas. Sua figura estapafúrdia, a voz tonitruante, os olhinhos vivos, a barba e o bigode incipientes, formavam no conjunto um verdadeiro personagem das histórias da carochinha.

A sra. Blenkensop disse que estava gostando muito das férias e que se sentia muito feliz em Leahampton.

— Quero dizer — prosseguiu Tuppence —, até onde posso me sentir feliz com esse peso no coração...

— Vamos, vamos, não se martirize — aconselhou a sra. O'Rourke. — Seus filhos vão voltar sãos e salvos, não tenha dúvidas. Um deles está na Força Aérea, não é?

— Sim, Raymond.

— Está na França ou na Inglaterra?

No Egito, segundo ele me disse na última carta, isto é, não disse exatamente, mas nós temos o nosso código, entende? Não acha certo?

— Claro que acho. Afinal, uma mãe tem os seus direitos.

— Sinto necessidade de saber onde ele está.

O Buda concordou com a cabeça.

— Compreendo-a perfeitamente. Se eu tivesse um filho na guerra, também estaria tentando burlar a censura e a segurança. Tem outro filho que está na Marinha, não é?

Tuppence falou longamente sobre Douglas.

— Sinto-me tão só sem eles — concluiu. — Nunca estivemos separados, nos damos tão bem!... Eles me tratam como amiga e não como mãe. — Tuppence riu. — Às vezes preciso brigar para que eles saiam sem mim.

"Que mulher horrenda", pensou Tuppence do seu alter-ego.

— Por causa disso, às vezes, me sinto perdida. Como o contrato do meu apartamento em Londres havia expirado, e seria bobagem renová-lo, resolvi ficar num lugar calmo, longe dos bombardeios.

— Concordo plenamente — interveio a sra. O'Rourke, vigorosamente. — Londres não está habitável. Que tristeza! Lido com antiguidades... talvez a senhora conheça minha loja em Chelsea... Chama-se Kate Kelly, e vive cheia de peças raras, na maioria vidros, candelabros, lustres, poncheiras. Tem também alguns móveis pequenos de nogueira ou de carvalho. Eu tinha ótimos fregueses, mas com a guerra todo o mundo mudou-se para o Oeste. Tive sorte de vender a loja com pouco prejuízo.

Tuppence lembrou-se vagamente de uma loja entulhada de vidros e de uma mulher grandona que atendia. Devia ser aquela a loja!

— Não sou de me queixar — prosseguiu a sra. O'Rourke —, como a maioria dos hóspedes daqui. O sr. Cayley, por exemplo, com seus xales, cachecóis e gemidos, vive reclamando que os negócios vão de mal a pior. É claro que vão de mal a pior, estamos em guerra! E sua esposa nunca abre a matraca.

Aí então temos a sra. Sprot, lamuriando-se o dia inteiro por causa do marido.

— Ele está nas linhas de frente?

— Que nada. É escrivão em uma seguradora e tem tanto medo dos bombardeios aéreos que resolveu mandar a mulher para cá! Em parte ele teve razão, por causa da menina... que é uma gracinha, não acha?... mas a mãe se queixa tanto que acaba irritando. O sr. Sprot sempre que pode vem visitá-las. Se quer minha opinião, o bom homem não está sentindo muito a falta dela, sei lá se ele não tem outras ocupações...

— Sinto pena das mães. Se ficamos longe dos filhos nos preocupamos, e se saímos de casa por causa deles são os maridos que sofrem.

— Sem contar com o aumento da despesa! Já pensou o que é sustentar duas casas?

— O preço aqui na pensão até que é razoável — disse Tuppence.

— Acho que vale o que custa. A sra. Perenna é uma boa administradora. Mulher estranha, não acha?

— Em que sentido?

A sra. O'Rourke piscou um dos seus olhinhos de porco.

—Vai pensar que sou linguaruda, mas o que acontece é que me interesso pelas pessoas. Por isso sempre me sento neste lugar. Vê-se quem entra ou quem sai, quem está na varanda ou no jardim. De que mesmo nós estávamos falando? Ah, sim, da sra. Perenna e de suas esquisitices. Pois bem, houve um grande drama na vida daquela mulher...

— Acha mesmo?

Tenho certeza. Veja o mistério que faz sobre tudo. Pergunte um dia a ela de que parte da Irlanda provém. Ela não diz nem que é irlandesa!

— E a senhora acha que ela é irlandesa?

— Claro que é. Conheço meus conterrâneos. Posso até dizer a cidade em que ela nasceu! Sabe qual foi a resposta dela? "Sou inglesa, e meu marido é espanhol."

A sra. O'Rourke calou-se com a entrada da sra. Sprot, seguida por Tommy.

Tuppence imediatamente pareceu animar-se.

— Boa noite, sr. Meadowes. Está muito bem-disposto hoje.

— Foi o exercício. De manhã joguei golfe e de tarde dei uma volta a pé.

— Levei Betty à praia hoje de tarde. Ela queria nadar, mas achei que a água estava muito fria. Enquanto construíamos um castelo de areia, apareceu um cachorro que mordeu meu tricô e espalhou meu novelo de lã pela praia inteira. O pior é que soltou os pontos... e eu sou péssima no tricô.

— Está indo bem seu suéter, sra. Blenkensop? — perguntou a sra. O'Rourke, voltando a atenção para Tuppence. — Está indo numa velocidade que até estranhei quando a sra. Minton me disse que a senhora não tinha prática.

Tuppence corou ligeiramente. O senso de observação da sra. O'Rourke era realmente muito aguçado.

— Eu já fiz muito tricô na vida, conforme expliquei à sra. Minton. Creio que ela tem prazer em dar aulas...

Todos riram. Aos poucos, foram chegando os outros hóspedes. O sino finalmente tocou, e todos foram jantar.

A conversa durante a refeição versou sobre espionagem. Desenterraram histórias velhíssimas como a da freira que era homem; do padre que desceu de paraquedas e praguejou quando caiu sentado numa árvore; da cozinheira austríaca que colocara um rádio transmissor na chaminé do seu quarto; e uma infinidade de acontecimentos ocorridos com as tias e os primos dos presentes. O assunto enveredou para as atividades da quinta-coluna, para as denúncias sobre os fascistas ingleses, os comunistas, os pacifistas. Enfim, uma discussão normal, dadas as circunstâncias. Tuppence observava atentamente, um por um, esperando apanhar alguma palavra ou expressão mais sugestiva. Nada. Sheila Perenna preferiu ficar calada, mas isso podia ser interpretado como mais uma crise de depressão. Ela limitou-se a ficar sentada, com uma expressão taciturna no seu belo rosto.

Como Carl von Deinim não estava presente, a liberdade era total. Sheila só falou uma ou duas vezes, quase no fim do jantar.

— Acho que o maior erro que os alemães cometeram na guerra passada foi terem fuzilado a enfermeira Cavell. Revoltou o mundo inteiro! — disse a sra. Sprot.

— E por que eles não a matariam? — perguntou Sheila, jogando os cabelos para trás. — Ela era uma espiã, não era?

— Não, absolutamente não era.

— Ela ajudava os ingleses a fugir da Alemanha. Dá no mesmo. Por que não deveriam fuzilá-la?

— Fuzilar uma mulher? Ainda por cima uma enfermeira?

Sheila levantou-se.

— Acho que os alemães tinham razão — disse ela, saindo para o jardim.

A sobremesa consistiu numas bananas verdes e umas laranjas passadas. Em seguida, foram para a sala esperar o café.

Tommy foi para o jardim. Encontrou Sheila Perenna no terraço, olhando para o mar. Postou-se ao seu lado e, notando que ela estava nervosa, ofereceu-lhe um cigarro.

— Linda noite — comentou ele, enquanto acendia o cigarro da moça.

— Podia ser... — respondeu ela, numa voz baixa e intensa.

Tommy olhou desconfiado. Sentiu a força e a vitalidade daquela mulher, um mundo tumultuado submerso naquele semblante aparentemente calmo. Era o tipo de mulher que poderia virar a cabeça de qualquer homem.

— Se não fosse a guerra? — perguntou Tommy.

— Não é por isso. De qualquer maneira, detesto a guerra.

— Nós também.

— Não é a mesma coisa. Detesto essa hipocrisia, essa presunção... esse patriotismo horroroso.

— Patriotismo?

— Sim, odeio o patriotismo, entende? Essa conversa mole de pátria, pátria, pátria. Traição à pátria... morte pela pátria... servir à pátria... Para que serve isso?

— Não sei. Mas é assim!

— Para mim, não é. Talvez para o senhor, que viaja para o estrangeiro, que compra e vende para o Império Britânico e volta bronzeado e cheio de lugares-comuns, falando dos nativos e pedindo drinques exóticos...

— Não creio que eu seja tão mau assim — disse Tommy.

— É claro que eu estou exagerando um pouco, mas creio que me entendeu. O senhor acredita no Império Britânico e nessa... estupidez que é morrer pela própria pátria.

— Parece que nem tão cedo vão me deixar morrer por ela — disse Tommy.

— Mas o senhor estaria disposto a fazê-lo. É uma estupidez! Nada justifica o sacrifício de vidas humanas. É um ideal de bolha de sabão. Para mim, meu país não significa coisa alguma.

— Um dia a senhorita poderá descobrir que significa, sim.

— Nunca. Eu sofri... Eu vi...

Ela voltou-se para Tommy com impetuosidade.

— Sabe quem foi meu pai?

— Não — respondeu Tommy.

— Chamava-se Patrick Maguire. Foi um seguidor de Casement[1] na última guerra! Foi fuzilado como traidor, e para quê? Para nada. Por uma ideia maluca. Teria lucrado mais se ficasse em casa e cuidasse da própria vida. Hoje é considerado mártir para uns, traidor para outros. Para mim, ele não passou de um grande idiota!

Tommy sentiu a revolta incontida da pobre moça.

— Foi nesse pesadelo que a senhorita cresceu?

— Foi. Mamãe mudou de sobrenome, e fomos morar na Espanha. Ela sempre diz que papai era meio espanhol. Não importa aonde formos, temos de mentir. Já viajamos a Europa toda e por fim viemos parar aqui. O pior lugar em que já estivemos.

— O que sua mãe acha disso tudo?

---

[1] Roger Casement — líder rebelde irlandês, fuzilado pelos ingleses em 1916. (N. do T.)

— Sobre a morte do meu pai? — perguntou Sheila, surpresa. — Realmente não sei. Ela nunca fala sobre ele. Não é fácil saber o que ela pensa ou sente...

Tommy concordou com a cabeça.

— Não sei por que estou contando tudo isso ao senhor. Acho que fiquei nervosa, mas não sei com o quê...

— A discussão sobre Edith Cavell?

— Ah, sim. Eu disse que odiava o patriotismo.

— Não está esquecendo as próprias palavras da enfermeira Cavell?

— Que palavras?

— Antes de morrer, não se lembra? "Só o patriotismo não basta, não posso ter ódio em meu coração..."

— Ah! — exclamou Sheila, comovida.

Voltou-se em seguida e desapareceu nas sombras no jardim.

II

— Está vendo, Tuppence, como tudo se encaixa?

Tuppence concordou calada. A praia estava deserta, ela encostou-se numa pilastra, enquanto Tommy colocava-se num banco de onde poderia ver toda a praia, caso alguém se aproximasse. Na verdade Tommy não esperava que aparecesse ninguém, pois sabia onde os hóspedes estavam àquela hora. De qualquer maneira, o encontro dos dois foi forjado para parecer o mais casual possível.

— A sra. Perenna?

— Sim. M, e não N. Satisfaz todos os requisitos.

Tuppence concordou.

— Sim, é irlandesa, segundo a sra. O'Rourke, mas nega sua nacionalidade. Viajou pela Europa inteira. Mudou o nome para Perenna quando veio para cá, para abrir a pensão. O marido foi fuzilado como traidor. Enfim, ela teria todos os motivos para liderar a quinta-coluna da Inglaterra. E a moça, também está metida nisso?

— Não — respondeu Tommy —, se estivesse não contaria o que me contou. Sinto-me mal de trair sua confiança.

Tuppence compreendeu o ponto de vista do marido.

— Entendo. Nosso trabalho tem dessas coisas.

— No entanto, é necessário.

— Claro.

Tommy corou.

— Não gosto de mentir, e sei que você também não...

Tuppence interrompeu-o.

— Eu não me importo. Para ser sincera, sinto um prazer intelectual em mentir. O que me chateia é quando esqueço a mentira... quando a gente se distrai... e age como se fôssemos nós mesmos e não nossos personagens. Foi o que aconteceu com você, ontem à noite, reagiu com a moça com sua empatia e não com a do sr. Meadowes, por isso se sente mal agora.

— Acho que tem razão, Tuppence.

— Sei que tenho. Porque tive a mesma experiência com o rapaz alemão.

— Que acha dele?

— Não creio que esteja envolvido em espionagem — respondeu Tuppence.

— Grant acha que pode haver uma possibilidade...

— Grant! — disse Tuppence, em outro tom. — Adoraria ver a reação dele quando você falou sobre mim.

— De qualquer maneira ele fez uma *amende honorable*. Você está empregada.

Tuppence sorriu distraidamente.

— Lembra-se da outra guerra, quando estávamos procurando o sr. Brown? Lembra-se de como nos divertimos? Em que estado de excitação vivíamos?

— Se me lembro! — concordou Tommy, rindo.

— Tommy, por que não é mais tão divertido?

Ele pensou sobre o assunto com seriedade.

— Acho que é uma questão de idade.

— Não acredito. Só acho que desta vez não será tão divertido. É igual de várias maneiras, mas falta alguma coisa. Lembre-se de que esta é a segunda guerra em que tomamos parte.

— É mesmo. Já vimos a dor e o sacrifício... e o horror. Naquela época, porém, nós éramos jovens demais para compreender essas coisas.

— Tem razão. Na última guerra eu só sentia medo de vez em quando. Mas no fundo acho que me divertia mais do que sofria — disse Tommy.

— Será que Derek também pensa assim?

— Não vamos pensar nele, minha querida — aconselhou Tommy.

— Tem razão — disse Tuppence, apertando o maxilar. — Temos uma missão. E vamos cumpri-la. Bem, você acha que descobrimos o que estávamos procurando?

— Pelo menos, a sra. Perenna é a mais forte candidata. Existe outra pessoa de quem você suspeite?

Tuppence refletiu por alguns instantes.

— Não. Assim que cheguei minha primeira preocupação foi reunir todos os hóspedes e considerar as possibilidades de cada um. Tem alguns que realmente seriam impossíveis.

— Por exemplo?

— A sra. Minton, a perfeita e típica solteirona inglesa, a sra. Sprot e a filha, e a estúpida sra. Cayley.

— A estupidez pode ser um embuste.

— Sim. Mas a solteirona metódica e a mãe distraída são papéis de composição que facilmente podem descambar para a caricatura, e aquelas mulheres são talentos natos. Quanto à sra. Sprot, existe a questão da criança.

— Suponho que mesmo um agente secreto possa ter filhos — disse Tommy.

— Não no local de trabalho — retrucou Tuppence. — Não é o ambiente para o qual você traz uma criança. Estou bastante segura disso, Tommy. Sei do que estou falando. Qualquer um deixaria os filhos fora disso.

— Retiro o que disse. Tudo bem quanto à sra. Sprot e à sra. Minton, mas não tenho tanta certeza em relação à sra. Cayley.

— Não, ela é uma possibilidade. É um tipo realmente caricato. Quer dizer, não deve haver no mundo mulheres tão estúpidas quanto aparentam.

— Já notei que o fato de ser uma esposa dedicada faz a mulher ficar imbecilizada — comentou Tommy.

— E onde descobriu isso? — perguntou Tuppence.

— Não foi com você, minha cara. Sua devoção nunca atingiu esses patamares.

— É que, ao contrário da maioria dos homens — comentou Tuppence, com doçura —, você não faz tanta manha quando fica doente.

Tommy voltou ao estudo dos possíveis espiões.

— Cayley — disse ele, pensativo — poderia ser um espião.

— Claro que sim. E o que me diz da sra. O'Rourke?

— Que acha dela?

— Não sei. Ela me perturba. Tão rimbombante.

— Concordo. Mas acho que é sua maneira de ser.

— Ela repara nas coisas... — disse Tuppence pausadamente, pensando sem dúvida no comentário da sra. O'Rourke sobre o seu tricô.

— E Bletchley? — perguntou Tommy.

— Mal conversei com ele. É mais um problema seu.

— Acho que não passa de um militar reacionário.

— E com isso temos que tomar cuidado — advertiu Tuppence. — O pior deste negócio é que nós passamos a encarar as pessoas mais banais sob um ângulo absolutamente mórbido.

— Tentei algumas coisas com Bletchley — disse Tommy.

— Que coisas? Tenho também umas ideias que gostaria de pôr em prática.

— Bem... foram apenas armadilhas inofensivas... sobre lugares e datas... coisas desse tipo...

— Você me concederia o favor de passar do geral para o particular, sendo um pouco mais específico?

— Bem, digamos que estamos conversando sobre caça de patos. Ele menciona um lugar chamado Faium, onde a caça foi melhor no ano tal; mais tarde falo sobre o Egito, múmias, Tutancâmon, e eu faço algumas perguntas: ele conheceu essas coisas? Quando foi essa viagem? Ou sobre esse ou aquele tipo de barco; ele menciona uma viagem. Mais tarde, verifico as respostas para ver se conferem. Nada de alarmante, entende? Nada que o coloque na defensiva.

— E até agora ele ainda não cometeu nenhum deslize?

— Não. E devo dizer que é um teste muito eficaz, Tuppence.

— Caso ele fosse N, teria uma história perfeita...

— Só as informações principais; seria difícil não dar com a língua nos dentes quando se entra nos detalhes. Às vezes acontece de o sujeito lembrar de um evento melhor do que alguém comum lembraria. Geralmente uma pessoa não se recorda de ter participado de uma caçada em 1926 ou em 1927. Para isso, seria necessário parar para pensar e buscar essas informações na memória.

— Mas até agora você não descobriu nada de errado com Bletchley.

— Não, até o momento ele tem agido normalmente.

— Portanto, o resultado é negativo;

— Exato.

— Então agora vou lhe contar algumas das ideias que tive — disse Tuppence.

E assim o fez.

III

No caminho da pensão, a sra. Blenkensop parou no correio, comprou alguns selos e dirigiu-se até uma cabine telefônica.

Telefonou para um certo número e mandou chamar o sr. Faraday, com quem conversou por alguns minutos. Saiu sorrindo e continuou o caminho para casa, só parando para comprar alguns novelos de lã.

A tarde estava agradável, e uma leve brisa soprava, vinda da praia. Tuppence refreou a energia natural, adotando um andar mais pesado e vagaroso que se adaptava melhor com a concepção que criara mentalmente da sra. Blenkensop, isto é, uma senhora mais ou menos desocupada que só sabia tricotar (mal) e escrever cartas para os filhos. Ela vivia escrevendo e recebendo cartas dos três rapazes.

Tuppence subiu vagarosamente a colina que levava à Sans Souci. Como não era uma rua de movimento, Tuppence divertiu-se lendo os nomes das casas. Bella Vista (um nome nada verdadeiro para uma monstruosidade vitoriana de onde mal se podia ver o mar); Karachi; A Torre de Shirley; Vista Marítima (desta vez, o nome era apropriado); Castelo de Clare (um nome um tanto grandiloquente para uma casinha térrea); Trelawny, uma pensão como a Sans Souci.

Quando ia chegando, Tuppence notou uma mulher no portão, espiando a casa. Uma figura tensa e ao mesmo tempo vigilante. Quase sem sentir, Tuppence caminhou mais devagar. Só foi vista quando estava quase chegando ao portão. A mulher tomou um susto ao ver Tuppence. Era uma senhora malvestida, com um rosto estranho. Não era jovem, talvez entre os quarenta ou cinquenta anos, e o contraste das suas roupas com a sua atitude era muito grande. Era uma mulher alourada, com maçãs do rosto salientes, e certamente tinha sido, e ainda poderia ser considerada, lindíssima. Por instantes, Tuppence achou que a conhecia, mas concluiu que não era possível, uma vez que um rosto daqueles seria inesquecível.

A expressão de alarme da senhora não passou desapercebida. "Que estranho!", pensou Tuppence.

— Está procurando alguém? — perguntou.

A senhora falava com sotaque estrangeiro, pronunciando cada palavra como se tivesse decorado uma lição.

— Esta casa é a Sans Souci?

— Sim, estou morando aqui. Quer falar com alguém?

— Pode me dizer então se tem algum sr. Rosenstein?

— Sr. Rosenstein? — repetiu Tuppence, sacudindo a cabeça. — Não. Ou talvez já tenha ido embora, estou aqui há poucos dias. Quer que eu pergunte?

A estrangeira fez um gesto de recusa.

— Não, não... enganei-me... Desculpe, por favor.

Rapidamente retirou-se.

Tuppence ficou olhando, espantada. Por alguma razão suas suspeitas tinham sido levantadas; havia um contraste entre o comportamento daquela mulher e a inocência da sua pergunta. Tuppence concluiu que o sr. Rosenstein devia ser uma invenção de momento para poder escapar.

Tuppence hesitou alguns minutos e decidiu seguir a mulher sem saber mesmo explicar por quê. Deu alguns passos e parou, pois seguir uma pessoa poderia levantar suspeitas sobre ela. Ora, se estava para entrar na pensão, por que apareceria em seguida, em outro lugar, seguindo uma desconhecida? A conclusão lógica seria desconfiarem de que a sra. Blenkensop não era quem dizia ser... com a agravante de talvez estar seguindo um possível membro da quinta-coluna.

Não, o mais importante era manter a identidade falsa da sra. Blenkensop.

Tuppence deu meia-volta e entrou na casa. Parou por um instante no saguão da pensão, que parecia mais deserto do que de costume. Betty estava dormindo, e os mais velhos ou estavam descansando, ou tinham saído.

Enquanto Tuppence estava parada no saguão, pensando na estrangeira, ouviu um ruído característico no telefone. Era alguém tirando ou colocando o fone da extensão. O único quarto que tinha extensão era o da sra. Perenna.

Talvez Tommy hesitasse diante daquela situação, mas Tuppence cuidadosamente retirou o fone do gancho e se pôs a ouvir. Alguém estava realmente usando a extensão.

— Tudo vai bem. No quatro, então, como combinado — disse uma voz de homem.

— Sim, siga em frente — disse uma mulher.

Um clique e o fone da extensão retornou ao gancho.

Tuppence ficou parada, pensando. Seria a voz da sra. Perenna? Difícil dizer, pois só ouvira quatro palavras. Se ao menos pudesse ter ouvido mais... ou quem sabe não seria uma conversa normal... afinal, nada do que ouvira poderia ser interpretado como suspeito...

Uma sombra apareceu na porta. Tuppence, sobressaltada, colocou o fone no gancho.

— Que tarde agradável — disse a sra. Perenna. — Está entrando ou saindo, sra. Blenkensop?

"Então não era a sra. Perenna que estava ao telefone", pensou Tuppence, passando em seguida a explicar que tinha acabado de voltar e ia para o quarto descansar um pouco.

A sra. Perenna a seguiu. Naquele momento, parecia maior e mais ameaçadora do que nunca. Pela primeira vez, Tuppence notou que ela era uma mulher forte.

— Preciso mudar de roupa — disse Tuppence, apressando o passo. No final da escada, viu que a sra. O'Rourke vinha descendo, lentamente, obstruindo a passagem.

— Que pressa é essa, sra. Blenkensop? — perguntou a sra. O'Rourke sem se mover, sorrindo. Tuppence achou-a também assustadora.

De repente, Tuppence ficou apavorada. Sentiu-se presa. Por um lado pela sra. O'Rourke, que não lhe dava passagem; por outro pela sra. Perenna, que lentamente vinha subindo as escadas.

Tuppence olhou para trás. Estaria imaginando ou a sra. Perenna realmente a estava ameaçando? "Que ideia absurda", pensou. "De dia, numa pensão!" Ao mesmo tempo notou o silêncio mortal que invadira a casa, e a incômoda situação em que se encontrava, bloqueada pelas duas mulheres.

Com efeito, havia algo de feroz no sorriso da sra. O'Rourke. "Como o gato que observa um rato", ocorreu a Tuppence.

Como por encanto a tensão foi quebrada pela risada de Betty Sprot, que, ainda de camisola, resolveu passar pelas pernas da sra. O'Rourke, gritando: "Achou!", atirando-se em seguida nos braços de Tuppence.

A sra. O'Rourke transformou-se numa figura simpática.

— Ah, que gracinha! Está crescendo dia a dia...

A sra. Perenna deu meia-volta e dirigiu-se para a cozinha. Tuppence, dando a mão para Betty, passou pela sra. O'Rourke e entregou a menina à mãe, que repreendeu a pequena fugitiva.

Tuppence entrou no quarto da sra. Sprot e respirou fundo o ar de domesticidade... as roupinhas de lã, espalhadas pelo chão, os brinquedos, o berço pintado, o retrato pacato e bovino do sr. Sprot, as eternas queixas da sra. Sprot sobre a lavanderia e a recusa da sra. Perenna de permitir que os hóspedes usassem ferro de passar no quarto.

Tão cotidiano, tão normal!

E no entanto, na escada, há pouco...

"Devo estar nervosa", pensou Tuppence.

Mas seria realmente isso? Alguém falara na extensão do quarto da sra. Perenna. Teria sido a sra. O'Rourke? O ato em si já era bastante suspeito. Garantia, sem dúvida, que nenhum dos outros hóspedes ouviria a conversa.

Deve ter sido uma ligação bem rápida. Uma troca de palavras e pronto!

"Tudo vai bem. No quatro, como combinado."

Não queria dizer coisa alguma, ou poderia dizer tudo!

No quatro? Seria uma data? Um mês do ano? Ou um quarto assento, um quarto lampião, um quarto dique? Impossível saber.

Ou será que se referiam a um quarto de hotel?

Que será que queriam dizer?

Podia ser a confirmação de um encontro banal. A sra. Perenna poderia ter permitido à sra. O'Rourke o uso do aparelho telefônico do seu quarto.

E por que aquele clima na escada? Aquele momento de tensão? Seria uma fantasia?

A casa silenciosa, e o sentimento de que havia algo de sinistro e perverso no ar...

"Atenha-se aos fatos, sra. Blenkensop", disse Tuppence em tom de repreensão. "E siga com seu trabalho."

5

O comandante Haydock era um excelente anfitrião. Recebeu Meadowes e o major Bletchley de braços abertos e insistiu em levá-los para visitar toda a propriedade.

A casa tinha sido originalmente um conjunto de cabanas de guardas marítimos, situada no alto de uma colina sobre o mar. O despenhadeiro em frente tornava a casa inacessível pelo lado do mar, e uma perigosa empreitada para os alpinistas.

As cabanas tinham sido compradas por um negociante inglês, que as transformou numa casa com um enorme jardim. Usava a propriedade somente no verão.

Eventualmente a casa passou a ser alugada durante a temporada por um preço bastante razoável.

— Em 1926 — explicou Haydock — foi vendida para um sujeito chamado Hahn, um alemão que era obviamente um agente estrangeiro.

Tommy apurou os ouvidos.

— Que interessante! — exclamou Tommy, colocando o copo de uísque sobre a mesa.

— São geralmente uns sujeitos bem espertos — disse Haydock. — Desde aquela época já estavam se preparando para esta guerra. Veja a posição desta casa! Perfeita para sinalização marítima. Embaixo, um precipício onde pode aportar um barco a motor. A propriedade fica totalmente isolada por causa da posição geográfica que ocupa. Ninguém me convence de que esse tal Hahn não era agente alemão.

— Claro que era — concordou o major.

— Que aconteceu com ele? — perguntou Tommy.

— Aí vem a história que mais parece uma lenda — continuou Haydock. — Hahn gastou um bocado de dinheiro aqui. Para começar, mandou construir uma estrada daqui até o mar; em seguida, reformou toda a casa... os banheiros com todos os confortos modernos. Para fazer essas reformas, contratou uma firma em Londres, mas, por aqui, só apareceu uma porção de estrangeiros. Alguns nem falavam inglês! Não concorda comigo que esse sujeito era suspeito?

— Realmente — concordou Tommy.

— Naquela época eu já morava pelas redondezas, numa casinha, e me interessei por esse cavalheiro. Costumava ficar por perto, observando os operários. E ouvia as reclamações... Não sei por quê... mas eles chegaram a ameaçar Hahn. E eu me perguntava por quê!

Bletchley concordava com a cabeça.

— Você devia ter ido à polícia — sugeriu o major.

— Foi o que eu fiz, meu amigo. Tornei-me o palhaço da cidade, chateando o pessoal com minhas suspeitas.

O comandante serviu outra dose de uísque aos convidados.

— Sabe o que acabei conseguindo? — perguntou Haydock. — A inimizade do chefe de polícia. Isso aqui é um país que não dá atenção à espionagem. Não estávamos em guerra com a Alemanha... pelo contrário, estávamos até de bem... estávamos na época dos beijos e abraços. Passaram a me tomar por louco, um velho soldado gagá. De nada adiantava dizer que os alemães estavam preparando a maior força aérea do mundo e que não iriam empregá-la em piqueniques ou demonstrações em feiras.

— Ninguém acreditava na gente! São uns idiotas. Só falavam em paz! Em contemporizar!

Haydock estava vermelho de raiva.

— Um intrigante era como me chamavam! Eu era um obstáculo para a paz. Paz! Eu bem que sabia o que eles estavam preparando. Os alemães são metódicos, sabem esperar. Eu estava convencido de que Hahn não era boa coisa; não achei graça nos operários estrangeiros, no dinheirão que ele estava gastando. Não desanimei e continuei fazendo minhas acusações.

— Isso mesmo — disse Bletchley.

— Finalmente — disse o comandante — resolveram me ouvir. Apareceu um novo chefe de polícia, um militar aposentado que resolveu me escutar. Mandaram uns policiais para rondar a casa, e Hahn desapareceu na calada da noite para nunca mais voltar. A polícia invadiu a casa e descobriu, num cofre (embutido na sala de jantar), um rádio-transmissor e alguns documentos comprometedores; na garagem, um depósito para guardar gasolina.

"Confesso que me senti triunfante. Já estava cansado de ser o bobo da corte. Depois disso pararam de caçoar de mim, e eu acabei demonstrando que o nosso erro é a credulidade excessiva com que tratamos os estrangeiros."

— É criminosa... somos uns idiotas, uns perfeitos idiotas. Por que não segregamos todos os refugiados? — perguntou Bletchley.

— Para finalizar, comprei esta casa quando foi posta à venda — disse o comandante, temendo perder o centro das atenções. —Venha comigo, Meadowes, para ver o resto da propriedade.

— Obrigado, seria um prazer.

O comandante parecia uma criança feliz por poder mostrar a casa. Abriu o cofre da sala de jantar para mostrar onde tinham encontrado o rádio. Em seguida, levou Tommy até a garagem, apontando para o lugar onde ficavam os tanques de gasolina; depois de uma rápida visita aos dois excelentes banheiros, à cozinha modernamente aparelhada e finalmente pelo caminho acimentado que levava até a praia e que o comandante não se cansava de repetir quão útil seria, caso os inimigos nela desembarcassem. Mostrou também a enorme caverna capaz de abrigar mais de duzentos homens.

O major não os acompanhou na visita; preferiu ficar tomando seu drinque calmamente no terraço. Tommy concluiu que a caça ao espião devia ser o assunto favorito do comandante e que seus amigos já deviam tê-la ouvido várias vezes.

Foi exatamente esse o comentário do major Bletchley quando voltaram para a Sans Souci.

— Bom sujeito, o Haydock — disse o major. — Só que vive no passado! Já ouvimos essa história tantas vezes que a sabemos de cor. Parece uma galinha velha tomando conta dos pintinhos.

A imagem não era muito apropriada, e Tommy não pôde deixar de rir.

A conversa passou para o desmascaramento de um ladrão em 1923 pelo major Bletchley. Tommy não prestou a menor atenção, mas interrompia de vez em quando para fazer alguma atenciosa exclamação como: "Não diga! É mesmo?!" etc.

Mais do que nunca Tommy sentiu que Farquhar, o agente assassinado, ao mencionar a Sans Souci, estava na pista certa. Muito antes de se falar em guerra, os inimigos já estavam enviando agentes para aquele obscuro ponto da costa, escolhendo Leahampton como centro das atividades clandestinas.

Talvez tivesse falhado devido ao zelo excessivo do comandante Haydock. O primeiro round fora vencido pela Inglaterra. Mas quem sabe aquela propriedade não seria a primeira de uma série de pontos estratégicos? Aquela casa era ideal para transmissões marítimas; a praia inacessível, exceto pela estrada de cimento; enfim, um plano diabólico composto certamente de várias peças que se encaixavam, tornando o jogo completo um perigo para a segurança do país.

Quando descobertos por Haydock, o que fizeram os espiões? Será que procuraram um alojamento na Sans Souci? A fuga de Hahn havia ocorrido quatro anos atrás. Tommy, baseando-se no que Sheila Perenna lhe dissera, calculou que a chegada da sra. Perenna quase coincidia com a saída de Hahn. Teria sido esse o passo seguinte?

Leahampton realmente parecia ser o centro das atividades inimigas — com instalação e rede própria.

Tommy sentiu-se melhor com essa descoberta. Desaparecera a monotonia engendrada pela atmosfera inofensiva e fútil da Sans Souci. Por trás da calmaria escondia-se a tempestade.

O centro de tudo, segundo Tommy, era a sra. Perenna. Portanto, precisava urgentemente saber mais sobre ela, informar-se melhor sobre a rotina diária da dona da pensão. Cartas, amizades, atividades sociais ou em prol da guerra — pois atrás disso estava a essência do seu trabalho como espiã. Caso ela fosse a tal agente M, controlaria todas as atividades da quinta-coluna na Inglaterra. Só devia ser conhecida pelos chefes — mas mesmo com eles necessitava de alguma forma de comunicação. E essa comunicação precisava ser interrompida por ele e por Tuppence.

Quando chegar o momento, os espiões talvez pretendam se apossar da casa do comandante, transformando-a num quartel-general da quinta-coluna.

Uma vez que o Exército alemão estabelecesse controle sobre os postos da França e da Bélgica, poderia então concentrar-se na invasão da Inglaterra. E na França a situação estava péssima. A Marinha inglesa era muito forte, logo o ataque deveria ser pelo ar ou por traição interna... e esses fios deveriam conduzir diretamente à sra. Perenna.

A voz do major Bletchley soou novamente aos ouvidos de Tommy:

— Vi que não tinha tempo a perder... agarrei Abdul, meu criado, aliás um ótimo rapaz...

A história continuava interminavelmente.

Enquanto isso, Tommy continuava raciocinando: por que Leahampton? Deve haver alguma razão! É fora da estrada principal, é uma cidade pequena, conservadora. Mas o que mais? Uma parte rural, gado, campos de pastagem, perfeitos para o desembarque de paraquedistas. Algumas indústrias químicas, como a que empregava Carl von Deinim. O estranho é que todos esses fatores se adequavam a várias outras cidades... Carl von Deinim! Onde ele entrava nessa história? Não devia ser, tal como Grant sugerira, o chefe, e sim mais uma peça da engrenagem.

Além do mais, corria o risco de ser preso ou segregado a qualquer momento por ser estrangeiro. Mas, enquanto isso, podia continuar trabalhando. Ele dissera a Tuppence que estava trabalhando na imunização de certos gases. Tudo não passava de probabilidade, mas Tommy decidiu que Carl von Deinim também estava metido na história.

Era uma pena, porque ele simpatizava com o rapaz. Ele pelo menos tinha uma justificativa — estava trabalhando para sua própria pátria. Tommy tinha respeito por um adversário, que sabia que podia ser fuzilado, mas que estava lutando por um ideal. Os que traíam a própria pátria, esses é que não mereciam perdão.

— E assim eu o apanhei — gritou o major, terminando a narrativa num tom de triunfo. — Não acha que fui esperto?

Sem titubear, Tommy respondeu:

— Foi o golpe mais engenhoso que já vi na vida.

II

A sra. Blenkensop lia uma carta com o carimbo da censura.

— Querido Raymond! — murmurou ela. — Eu fiquei tão feliz quando soube que ele estava no Egito, mas parece que vai ser novamente transferido. É segredo, ele não pode dizer coisa alguma, mas é um plano maravilhoso, e ele me previne que dentro em breve vamos ter uma grande surpresa. Estou satisfeita em saber o paradeiro dele, mas não vejo por que...

Bletchley grunhiu.

— Certamente ele não tem permissão para lhe contar tudo isso.

Tuppence deu uma risadinha condescendente e colocou a carta, dobrada, em cima da mesa.

— Ora, nós temos nosso código — disse ela, com superioridade. — Raymond sabe que, se eu sei onde ele está ou para onde será mandado, eu não fico tão preocupada. É um código muito simples: uma certa palavra e em seguida, com as iniciais das próximas palavras, pode-se soletrar o nome do lugar onde ele está. Às vezes, as frases ficam esquisitas... mas Raymond é bastante hábil. Tenho certeza de que ninguém percebe nosso estratagema!

Um murmúrio correu pela mesa. O momento fora bem escolhido, pois todos os hóspedes estavam reunidos, tomando café.

Bletchley ficou vermelho.

— A senhora vai me desculpar, mas o movimento das nossas tropas não pode ser divulgado. É isso mesmo que os alemães desejam saber!

— Mas eu não conto a ninguém! Sou muito cuidadosa...

— Mesmo assim é perigoso. Seu filho vai se meter numa enrascada séria por causa disso.

— Espero que não. Eu sou mãe dele, tenho o direito de saber!

— Tem toda a razão — disse a sra. O'Rourke. — Nós sabemos que por nada neste mundo a senhora divulgaria esses segredos.

— Mas qualquer um pode ler essas cartas — insistiu o major.

— Mas eu tomo muito cuidado, nunca as deixo espalhadas — disse Tuppence, com o orgulho ferido. — Guardo-as trancadas a sete chaves.

Bletchley sacudiu a cabeça desacorçoado.

III

Tuppence estava só, na praia. Era uma manhã cinzenta, e o vento soprava forte sobre o mar. Ela retirou da bolsa duas cartas que havia apanhado numa agência de revistas e livros.

Querida mamãe,

Tenho muito que dizer, mas infelizmente não posso contar. Estamos indo bem. Cinco aviões alemães abatidos hoje de manhã. Muita confusão. Na hora deu tudo certo. O pior é ver os pobres civis sendo metralhados nas estradas. É de enlouquecer. Gus e Trundles mandam lembranças e vão bem. Não se preocupe comigo. Estou ótimo. Por nada neste mundo perderia isto aqui! Abraços no velho. Já arranjaram um emprego para ele?

Seu filho,
Derek

Tuppence leu e releu a carta várias vezes. Em seguida, abriu a outra.

Querida mamãe,

Como vai a tia Gracie? Ainda bem que tem a senhora. Nenhuma novidade. Meu trabalho é interessante, mas tão secreto que não posso lhe contar coisa alguma. Só sei que estou trabalhando para meu país. Não se preocupe se eles não lhe derem nada para fazer... é melhor do que ficar como essas velhas por aqui, enchendo a paciência da gente, querendo ser úteis mas atrapalhando todo mundo. Eles só precisam realmente de gente jovem. Como papai está se saindo naquele serviço? Deve passar o dia preenchendo formulários, mas espero que esteja satisfeito.

Muitos beijos,
Deborah.

Tuppence sorriu.

Dobrou as cartas e, abrigando-se contra o vento, acendeu um fósforo e as queimou. Em seguida, apanhou um lápis e um papel e escreveu:

Langherne
Cornuália

Querida Deb,

Estamos tão longe da guerra aqui que mal acreditamos que ela exista. Fiquei feliz com sua carta e por saber que seu trabalho é interessante. A tia Gracie está mais velha e mais fraca e muito pouco lúcida; acho que ficou satisfeita por eu ter vindo. Fala muito do passado e às vezes me confunde com minha mãe. Plantam muito mais vegetais do que flores por aqui. O roseiral, por exemplo, virou um canteiro de repolhos. Às vezes, ajudo o velho Sykes, por isso tenho a impressão de que estou fazendo alguma coisa em prol dos nossos soldados.

Seu pai anda meio rabugento, mas, como você mesmo disse, está satisfeito por ainda ser útil.

Beijos, Tuppence.

E numa outra folha:

Querido Derek.

Foi um prazer receber sua carta. Mande cartões, se não tiver tempo para escrever muito. Vim ficar com a tia Gracie, que anda muito fraca e meio caduca. Pensou que você ainda estivesse com sete anos, e no outro dia me deu um dinheiro para comprar um brinquedo para você.

Continuo de molho, pois não estão precisando dos meus préstimos. Não é estranho? Seu pai foi contratado pelo ministério e partiu para o Norte. É melhor do que ficar parado, embora ainda não seja o que ele buscava; em todo o caso, precisamos ser humildes e deixar vocês jovens ganharem a guerra.

Não vou recomendar que tome cuidado porque sei que eles recomendam que você faça justamente o contrário. Só não vá fazer nenhuma loucura.

Beijos, Tuppence.

Ela subscritou os envelopes e despachou as cartas no caminho de volta para a Sans Souci.

Perto do rochedo viu duas figuras paradas na estrada. Deteve-se. Era a mesma mulher que tinha visto na véspera. Estava com Carl von Deinim.

Tuppence notou que não conseguiria chegar perto deles sem ser vista.

No mesmo instante, o alemão virou a cabeça e percebeu a presença de Tuppence. As duas figuras se afastaram, a mulher desceu a colina, às pressas, atravessando a rua, passando por Tuppence pelo lado oposto.

Carl von Deinim esperou que Tuppence se aproximasse.

— Bom dia — disse ele, com a seriedade habitual.

— Que mulher estranha aquela com quem o senhor estava conversando, sr. Von Deinim!

— É mesmo. Ela é tcheca.

— Não diga!? Sua amiga?

Tuppence tentou imitar o tom curioso da tia Gracie, de quando era mais jovem.

— Não — respondeu Carl —, nunca a vi antes.

— Ora, veja! Pensei que... — Nesse momento, Tuppence fez uma pausa dramática.

— Ela veio me pedir uma informação. Falei em alemão porque ela não entende bem inglês.

— Sei, sei. Ela queria saber onde ficava alguma coisa?

— Estava perguntando se eu conhecia a sra. Gottlieb, que deve morar pelas redondezas. Como eu disse que não, ela achou que devia ter confundido o endereço.

— Eu sei — disse Tuppence, pensativa.

Primeiro sr. Rosentein, agora sra. Gottlieb.

Ela olhou para Carl, que caminhava a seu lado com o rosto tenso e rígido.

Tuppence agora tinha certeza de que a estrangeira era uma espiã. Sentiu que, quando os surpreendera, eles já deviam estar conversando havia bastante tempo.

Carl von Deinim?

Carl e Sheila naquela manhã: "Você precisa ter cuidado..."

"Só espero que esses jovens não estejam metidos nisso", pensou Tuppence.

Ela não podia fraquejar, ou se entregar ao sentimentalismo.

O nazismo usava os jovens. Sheila e Carl! Segundo Tommy, Sheila não estava metida nessa história, mas um homem pode se enganar, principalmente quando lida com uma moça tão bonita quanto a filha da sra. Perenna. Carl e Sheila, e aquela figura enigmática que era a dona da pensão. A sra. Perenna era a típica e eficiente anfitriã da pensão; mas às vezes, por breves instantes, se mostrava uma figura trágica e violenta.

Tuppence encaminhou-se lentamente para o quarto.

À noite, na hora de dormir, Tuppence abriu a gaveta da cômoda. De um lado, estava a caixa de joias com uma fechadura de má qualidade. Colocou as luvas, abriu a caixa e olhou a pilha de cartas. A primeira era de "Raymond", que fora desdobrada com todo o cuidado.

Seus lábios se apertaram. Numa das dobras da carta, ela havia colocado um cílio que não estava mais no papel.

Correu para o banheiro, onde apanhou um vidro "inocentemente" chamado de Pó Cinza.

Com certa perícia aplicou o pó na carta e na tampa da caixa. Nenhuma impressão digital!

Tuppence balançou a cabeça satisfeita, observando a ausência das próprias impressões digitais. Uma empregada poderia ter lido as cartas, por curiosidade, mas jamais se daria ao trabalho de descobrir a chave da caixa ou pensaria em limpar as impressões digitais!

Teria sido a sra. Perenna? Sheila? Ou outra pessoa? Mas quem? Quem poderia estar interessado nos movimentos das Forças Armadas inglesas?

IV

A estratégia que Tuppence empregara era bastante simples. Em primeiro lugar, um apanhado geral das possibilidades e das probabilidades. Em segundo, um ligeiro estratagema para descobrir se algum hóspede da pensão estava interessado no movimento das Forças Armadas inglesas.

Em terceiro, quem seria essa pessoa?

Era nessa terceira possibilidade que Tuppence pensava na manhã seguinte, ainda na cama. Seu raciocínio foi interrompido pela gritaria e pelas brincadeiras de Betty Sprot, que despertara uma hora antes de o café da manhã ser servido. Betty era uma criança ativa e alegre e gostava muito de Tuppence. Subiu na cama da nova amiga e, com um livro velho na mão, pediu:

— Lê... lê...

Tuppence começou a ler: "Era uma vez um lobo que andava de baixo para cima, procurando o que comer..."

Betty rolava de rir, repetindo:

— Cima, cima...

Em seguida, jogava-se do alto da cama aos gritos, dizendo:

— Baixo, baixo...

Essa brincadeira foi repetida dezenas de vezes até cansar Betty, que resolveu engatinhar pelo chão, para brincar com os sapatos de Tuppence, enquanto resmungava no seu dialeto:

— Agda... ba pu... pu... dah!

Voltando-se para os próprios problemas, Tuppence começou a pensar nas palavras que lera:

"Era uma vez um lobo que andava de baixo para cima..."

Para onde? Quem seria aquele lobo vestido em pele de cordeiro? Tuppence desprezava a sra. Blenkensop e achava o sr. Meadowes um grande chato. Seriam, eles dois, os lobos disfarçados? Naturalmente tinham criado uns tipos capazes de desaparecer na mediocridade dos outros hóspedes da pensão.

Mesmo assim, não podia distrair-se por um momento sequer. Ela cometera uma falha — não muito grave, mas que a alertara do possível perigo que poderia correr. Tentara puxar prosa, pedindo instruções sobre tricô... depois, esquecida, começara a tricotar furiosamente como se fosse uma profissional, o que tinha sido percebido pela sra. O'Rourke. Daquele momento em diante, ela passou a ser muito cuidadosa...

— Ag... bo... bo... ao...? — perguntou Betty.

— Isso mesmo, querida.

Satisfeita, a menina voltou às suas ocupações misteriosas embaixo da cama.

O próximo passo, pensou Tuppence, não era difícil e teria que ser dado com a conivência de Tommy. Ela sabia exatamente o que deveria fazer...

Enquanto pensava o tempo ia passando. A sra. Sprot entrou para buscar Betty.

— Ah! Ela está aqui! Não sabia onde tinha se enfiado essa menina. Betty, Betty... desculpe, sra. Blenkensop.

Tuppence sentou-se na cama. Betty contemplava angelicamente seu trabalho manual. Tinha atado todos os laços de sapato de Tuppence e colocado tudo num copo com água. De vez em quando remexia-os com o dedo.

Tuppence riu e não deixou a sra. Sprot se alongar demais nas desculpas.

— Que engraçado! Não se preocupe, sra. Sprot, eles secam num instante. É minha culpa, pois eu devia prestar atenção no que ela estava fazendo. Realmente me distraí, porque ela estava tão quietinha!

— Criança muito quieta não é bom sinal, sra. Blenkensop! Vou lhe mandar uns laços de sapato.

— Não tem a menor necessidade — respondeu Tuppence. — Daqui a pouco estarão secos.

A sra. Sprot levou Betty embora. Tuppence levantou-se para pôr em ação seu novo plano.

6

Tommy olhou espantado para o embrulho que Tuppence lhe entregou.

— É isso?

— É. Tome cuidado para não derramar em cima de você.

Tommy cheirou o pacote.

— O que vem a ser?

— Asofética — respondeu Tuppence. — Uma gotinha disso e ninguém consegue chegar perto de você.

— Essência de gambá — murmurou Tommy.

Daquele momento em diante, começaram a ocorrer diversos incidentes. O primeiro foi o cheiro no quarto do sr. Meadowes. Ele não era homem de se queixar, mas, como suas reclamações não foram prontamente atendidas, o pobre sr. Meadowes acabou criando um verdadeiro caso.

A sra. Perenna, por fim, teve que ir ao quarto, e foi forçada a admitir que havia realmente um cheiro muito estranho. Quem sabe não seria um escapamento de gás?

Tommy, abaixando-se para cheirar perto dos encanamentos, não concordou. Para ele, tratava-se de um rato morto. Por fim a proprietária disse que já ouvira falar de casos semelhantes, mas que tinha certeza de que não havia ratos na Sans Souci. Quem sabe não era um camundongo?

O sr. Meadowes insistiu com firmeza que o cheiro devia ser de um rato morto... e que, enquanto não solucionassem o problema, ele não dormiria mais naquele quarto. Queria mudar-se de imediato.

A sra. Perenna disse que estava para sugerir exatamente isso, que infelizmente o único quarto vago era muito pequeno, sem vista para o mar, mas se o sr. Meadowes não se incomodasse...

O pensionista insistiu, porém, em mudar de quarto, e foi levado para o cubículo que ficava em frente ao quarto da sra. Blenkensop. A empregada fez a mudança, e a sra. Perenna prometeu chamar um "homem" para examinar o piso e resolver o problema do cheiro. E assim foi resolvido o primeiro incidente.

II

O segundo incidente foi a febre alérgica do sr. Meadowes. Pelo menos no princípio, acharam que era uma alergia; mais tarde, o sr. Meadowes concordou que talvez estivesse gripado; espirrava sem parar, e os olhos lacrimejavam como duas torneiras abertas. Os hóspedes não sentiram o forte cheiro de cebola crua cuidadosamente envolvida no lenço de seda do pobre homem. Finalmente, "derrotado" pela gripe, o sr. Meadowes resolveu recolher-se ao leito.

Naquela mesma manhã a sra. Blenkensop recebeu uma carta do filho Douglas. Ficou tão alegre com as notícias que alvoroçou o hotel inteiro. A carta não tinha sido censurada porque fora trazida por um amigo dele, que estava de licença, de maneira que o filho pôde contar todas as novidades abertamente.

— Por aqui a gente vê — disse a sra. Blenkensop, sacudindo a cabeça — que não se sabe coisa alguma do que anda acontecendo!

Depois do café, Tuppence foi para o quarto e guardou a carta na caixa de laca preta; entre as páginas colocou alguns grãos de pó de arroz. Fechou a caixa cuidadosamente e, antes de sair do quarto, tossiu. Do outro lado do corredor, ouviu-se um espirro digno de um prêmio de interpretação dramática.

Tuppence sorriu e desceu as escadas. Como já havia anunciado que ia passar o dia em Londres para falar com o advogado e fazer compras, vários hóspedes fizeram certos pedidos de compra, "caso a senhora tenha tempo...".

O major Bletchley não participou ativamente das despedidas da sra. Blenkensop. Limitou-se a ficar num canto da sala, resmungando:

— Os malditos alemães... que metralham civis nas ruas... se eu estivesse lá...

Tuppence retirou-se enquanto ele explicava sua estratégia militar para os próximos combates. No jardim encontrou Betty Sprot e perguntou se ela desejava alguma coisa de Londres; sugeriu que a menina pedisse um gato, um livro, um caderno de desenho; e quando Betty optou pela última sugestão, anotou o pedido num caderninho.

Assim que Tuppence fechou o portão, encontrou Carl von Deinim encostado a um muro. Sua tensão era tão grande que Tuppence não resistiu e perguntou:

— Aconteceu alguma coisa?

— Ach, sim... tudo! — respondeu ele, com uma voz rouca. — Não dizem às vezes que alguém não é peixe nem carne??

Tuppence disse que sim.

— É o meu caso — disse ele com amargura. — Não sou peixe nem carne. Não posso continuar assim! Acho melhor acabar com tudo.

— Como assim?

— A senhora sempre foi gentil comigo. Creio que é capaz de compreender. Fugi da Alemanha por causa da injustiça e da crueldade; odiava a Alemanha nazista, mas não posso deixar de ser alemão.

— É claro que o senhor deve ter algumas dificuldades — murmurou Tuppence.

— Não é isso. Sou alemão de corpo e alma. A Alemanha é meu país! Quando ouço ou leio sobre os bombardeios, os aeroplanos abatidos, não posso esquecer que as vítimas são meus conterrâneos. Não suporto os comentários do major Bletchley sobre "aqueles cachorros"... não esqueço que é dos meus irmãos que ele está falando... por isso acho melhor acabar com tudo isso... sim, é a única solução...

Tuppence agarrou-o pelo braço.

— Não seja tolo! Acho natural que sinta essa revolta, mas precisa se controlar e aguentar firme.

— Gostaria de ser preso. Seria mais fácil para mim...

— Provavelmente. Mas nesse momento está desenvolvendo um trabalho de grande utilidade, não só para a Inglaterra como para toda a humanidade. É relacionado a problemas de contaminação, não é?

— Sim — respondeu ele, sorrindo. — Estou começando a obter alguns resultados. Criei um processo muito simples, fácil de preparar e de aplicar.

— Já é uma grande coisa — disse Tuppence. — Tudo que possa diminuir o sofrimento alheio, que seja construtivo, já é um grande serviço à humanidade. Acredito que existam milhares de majores na Alemanha, espumando e maldizendo os ingleses. Eu odeio os alemães; quando penso neles, sinto-me envolvida por uma onda de ódio; mas, quando penso nas mães alemãs, esperando por notícias dos seus filhos ou despedindo-se deles, ou nos donos de loja, perdendo seu negócio, sinto-me diferente. Compreendo que são também seres humanos e que somos iguais. O mal está na máscara que colocamos: a máscara da guerra.

Enquanto falava, Tuppence pensava nas palavras da enfermeira Cavell: "O patriotismo não basta. É necessário extirpar o ódio do coração."

Carl von Deinim pegou a mão de Tuppence e beijou-a.

— Eu agradeço sua bondade e compreensão. Sinto-me bem melhor agora.

"Céus!", pensou Tuppence, andando pela estrada. "Que coisa estranha! A única pessoa de quem realmente gosto, aqui neste lugar, é um alemão! Dá para entender?"

III

Se Tuppence tivesse que se definir em uma palavra, seria "precavida". Embora não tivesse o menor interesse em ir para Londres, achou melhor fazer exatamente o que tinha dito que iria fazer. Caso fosse para outro lugar qualquer, poderia ser vista por alguém e complicaria sua situação na Sans Souci.

Enquanto comprava suas passagens de ida e volta, encontrou Sheila Perenna.

— Olá — disse Sheila. — Aonde vai? Vim procurar uma encomenda atrasada.

Tuppence disse que ia para Londres.

— É mesmo — disse Sheila —, lembro que a senhora falou algo do tipo, mas não sabia que era hoje. Vou acompanhá-la até o trem.

Sheila estava bastante alegre; nem por um momento parecia ser aquela moça mal-humorada e deprimida; conversou animadamente sobre a Sans Souci e outras banalidades até o trem chegar. Quando Tuppence viu a figura de Sheila desaparecer na plataforma, começou a pensar furiosamente.

Seria uma coincidência o encontro com a moça na estação? Mais uma prova da eficácia do inimigo? Ou será que a sra. Perenna queria ter certeza de que a sra. Blenkensop iria mesmo para Londres?

Enfim, parecia realmente que eles queriam se certificar da partida da sra. Blenkensop.

IV

Só no dia seguinte é que Tuppence conseguiu conversar com Tommy. O casal havia combinado não se comunicar em hipótese alguma na pensão. Encontraram-se na praia. O sr. Meadowes, recuperado da recente gripe, passeava à beira-mar, aspirando o ar puro.

— Bem? — perguntou Tuppence.

Tommy sacudiu a cabeça lentamente.

— Que dia! — disse ele, num tom de infelicidade. — Passei a tarde inteira com o olho grudado na porta; estou de pescoço duro.

— Não vamos perder tempo com seu pescoço — interveio Tuppence, impaciente. — Conte tudo.

— As criadas foram arrumar o quarto, e a sra. Perenna entrou para fazer algumas reclamações. A menina também entrou para procurar um cachorro de pelúcia.

— Ninguém mais?

— Uma pessoa.

— Quem?

— Carl von Deinim.

— Ah! — exclamou Tuppence quase ofendida. — Então... que horas eram?

— Na hora do almoço. Saiu da sala de jantar mais cedo, subiu as escadas e entrou no seu quarto. Ficou lá dentro por uns 15 minutos.

Fez-se uma pausa.

— Não podemos ter mais dúvidas — acrescentou Tommy.

Tuppence concordou.

Carl von Deinim não poderia ter outra razão para ir ao quarto da sra. Blenkensop a não ser que fosse para apanhar a carta. "Que ator maravilhoso!", pensou ela. "Hoje de manhã parecia tão sincero... talvez essa sinceridade fosse a chave do segredo! Um verdadeiro patriota trabalhando para seu país. Merece nosso respeito e também nosso ódio!"

— Sinto muito — disse ela.

— Eu também — disse Tommy —, pois acho que ele é um bom rapaz.

— Você e eu estaríamos fazendo a mesma coisa se fôssemos alemães.

Tommy concordou com a cabeça. Tuppence prosseguiu:

— Bem, agora possuímos mais um dado. Carl von Deinim trabalha com Sheila e com a sra. Perenna, que é certamente a chefe. Precisamos descobrir quem é aquela estrangeira que estava conversando com Carl ontem. Deve estar metida nessa história de alguma maneira.

— Qual é o próximo passo?

— Entrar no quarto da sra. Perenna. Tenho certeza de que encontraremos alguma pista. Ao mesmo tempo, precisamos segui-la, saber aonde vai, com quem se encontra. Vamos chamar Albert!

Tommy parou para considerar a ideia.

Anos atrás, Albert era um menino de recados num hotel e ajudou o jovem casal Beresford a descobrir o paradeiro de uma espiã. Daquele dia em diante, não largou mais os Beresford. Estava casado já havia seis anos, e atualmente possuía um pequeno bar.

— Albert vai ficar encantado! — disse Tuppence, animada. — Pode se hospedar naquele hotelzinho perto da estação e vigiar as Perenna.

— E a mulher dele?

— Ela foi para o País de Gales com as crianças na última segunda, para ficar com a mãe, por causa dos bombardeios.

— É uma boa ideia, Tuppence. Qualquer um de nós que seguisse a sra. Perenna levantaria suspeitas. Albert é perfeito. Outra coisa: precisamos observar aquela estrangeira que estava conversando com Carl. Creio que ela seja a outra ponta dessa comunicação espiã, algo que precisamos averiguar com urgência.

— Claro, ela deve vir aqui para buscar informações. Quando a encontrarmos da próxima vez, não a deixaremos escapar.

— Precisamos olhar o quarto da sra. Perenna e o de Carl.

— Não creio que encontraremos coisa alguma com ele. Sendo alemão, corre o perigo de ser revistado a qualquer momento pela polícia, de maneira que ele deve se precaver. O mais difícil é a sra. Perenna, pois, quando ela sai, a filha fica na pensão; não devemos esquecer de Betty e da sra. Sprot, que são praticamente onipresentes, e da sra. O'Rourke, que raramente sai de casa.

Os dois calaram-se por um momento.

— A melhor hora é durante o almoço.

— O mesmo horário de Carl?

— Claro. Eu posso inventar uma dor de cabeça e me retirar... Não, não daria certo... pois inevitavelmente alguém viria me trazer um remédio. Acho melhor eu voltar da rua antes do almoço, me esconder no meu quarto e depois dizer que estava deitada com dor de cabeça...

— Não seria melhor eu fazer isso? Posso ter uma recaída da gripe!

— Não. Caso me descubram, posso dizer que estava procurando um comprimido. Um homem no quarto da sra. Perenna daria margem a especulações...

Tommy sorriu.

— De natureza escandalosa?

Em seguida, ficou sério.

— Temos que agir depressa — disse ele, em tom grave. — As notícias de hoje não foram boas. Precisamos agir depressa.

V

Tommy durante o passeio foi para o correio e telefonou para o sr. Grant, comunicando que a "operação foi bem-sucedida e que nosso amigo C estava envolvido".

Despachou uma carta para Albert, comprou um jornal que trazia as últimas notícias e voltou para a pensão.

Uma voz forte soou na estrada.

— Quer uma carona? — perguntou o comandante Haydock, sentado na direção do seu carro esporte.

Tommy aceitou o convite.

— Também lê esse jornaleco? — perguntou o comandante, apontando para a manchete em letras vermelhas do *Inside Weekly News*.

O sr. Meadowes demonstrou o mesmo embaraço dos leitores daquele pasquim, sempre que apanhados em flagrante com um exemplar debaixo do braço.

— Sei que é um jornaleco, mas às vezes parece que eles sabem mais do que os outros.

— E às vezes estão equivocados.

— É, eu sei.

— A verdade — disse o comandante, por pouco desviando de um caminhão — é que, em terra de cego, quem tem um olho é rei.

— Acha que é verdade que Stalin está tentando se aproximar de nós?

— Ilusões, meu caro, ilusões. Os russos não valem um caracol. Não se pode confiar neles! Ouvi dizer que esteve doente?

— Uma alergia passageira. Vem sempre nesta época do ano.

— Tive um amigo assim. Todo o mês de junho caía de cama. Está se sentindo bem para jogar uma partida de golfe?

Tommy disse que sim.

— Ótimo. Então estamos combinados.

O comandante freou na porta da pensão.

— E a bela Sheila, como vai? — perguntou Haydock.

— Acho que vai bem. Não a tenho visto.

O comandante deu uma gargalhada.

— Infelizmente, você quer dizer. Que pedaço de mulher! Pena que seja tão mal-humorada. Também vive agarrada com aquele alemão! Falta de patriotismo. Compreendo que ela não dê confiança para uns velhos como nós, mas existem muitos rapazes ingleses dando sopa. Por que escolheu um alemão? Não dá para entender.

— Cuidado, ele vem vindo aí! — avisou Meadowes.

— E que me importa? É melhor que ouça. Por mim merecia um pontapé no traseiro! Devia estar lutando pela pátria, em vez de estar aqui nos amolando.

— A vantagem é que é um alemão a menos a invadir nosso país.

— Acha que vão conseguir? Não seja bobo! Nunca fomos ou seremos invadidos por quem quer que seja. Temos uma Marinha, meu caro!

Empolgado com esse pronunciamento patriótico, o comandante tirou o pé da embreagem, atirando o carro para o outro lado da rua.

VI

Tuppence chegou ao portão da Sans Souci faltando vinte minutos para as duas. Passou pelo jardim e entrou na casa pela janela da sala de visitas. Um cheiro de picadinho, o barulho dos pratos e o murmúrio das vozes invadiam a sala de jantar. Era hora do almoço na pensão.

Tuppence aguardou na sala, enquanto Marta, a empregada, saía para a cozinha e voltava para a sala de jantar. Em seguida, sem sapatos, correu escada acima. No quarto calçou seus chinelos de feltro e dirigiu-se aos aposentos da sra. Perenna.

Um sentimento de culpa tomou conta de Tuppence. Afinal, o que estava fazendo não era direito. E se a sra. Perenna fosse realmente (e apenas) a sra. Perenna? Sacudiu a cabeça afastando tal pensamento, como fazia quando era criança, lembrando-se: estamos em guerra!

Abriu a penteadeira. Com rapidez e segurança examinou os objetos. Em seguida, notou que uma das gavetas da escrivaninha estava trancada. Era essa que precisava ser examinada!

Tommy havia lhe dado algumas ferramentas e instruções de como manejá-las. Com certa dificuldade conseguiu abrir a gaveta.

Dentro, uma caixa, tipo cofre, com algum dinheiro, umas moedas de prata, uma caixinha de joias e alguns papéis. Tuppence leu-os o mais rápido possível, pois não podia perder muito tempo.

Uns eram sobre a hipoteca da propriedade, outros sobre empréstimos no banco; algumas cartas. O tempo ia passando, e ela, desesperada, passava os olhos sobre tudo, procurando algo que pudesse ter um duplo sentido. Duas enormes cartas de uma amiga italiana, aparentemente inofensivas. Mas seriam mesmo? Outra carta de um tal de Simon Mortimer, de Londres, uma carta comercial tão seca e sem maiores informações que Tuppence se perguntou por que fora guardada. Estaria esse sr. Mortimer envolvido em alguma espionagem?

No fundo do cofre, uma carta assinada por Pat, que começava nos seguintes termos: "Esta é a última carta que lhe escrevo, querida Eilleen." Não, isso era demais! Tuppence não teve coragem de ler o resto. Dobrou a carta, arrumou o maço de papéis e ouviu um ruído. Rapidamente guardou o cofre, sem ter tempo de trancá-lo, fechou a gaveta... e quando a porta se abriu a sra. Perenna foi encontrá-la no armário de remédios, examinando os vidros.

A sra. Blenkensop virou-se, um tanto sem jeito, para a dona da casa.

— Desculpe, sra. Perenna, cheguei da rua com tanta dor de cabeça que quis ir direto para a cama. Não tinha uma aspirina sequer no meu quarto, por isso vim até aqui... não quis incomodá-la, e como sabia que a senhora tem sempre esses comprimidos...

A sra. Perenna entrou e dirigiu-se com firmeza até a hóspede.

— Por que não veio me pedir, sra. Blenkensop?

— Era o que eu devia ter feito, mas como sabia que a senhora estava ocupada com o almoço... e eu detesto dar trabalho.

A sra. Perenna apanhou um vidro do armário.

— Quantas pílulas quer?

A sra. Blenkensop pediu três. A sra. Perenna acompanhou-a até o quarto, insistindo para que aceitasse uma bolsa de água quente. Agradecendo muito, a sra. Blenkensop disse que preferiria dormir.

— O estranho é que a senhora tem comprimidos para dor de cabeça, sra. Blenkensop!

Tuppence não se deu por achada.

— Sei que tenho, mas não sei onde deixei o vidro.

— Então descanse bem até a hora do chá — disse a sra. Perenna, mostrando a bela dentadura e retirando-se em seguida.

Tuppence soltou um longo suspiro de alívio e jogou-se na cama, com medo de ser surpreendida de pé pela dona da pensão.

Será que a sra. Perenna suspeitara de algo? Aqueles dentes tão alvos... para te comer, disse o lobo para Chapeuzinho Vermelho... e aquelas mãos cruéis, angulosas...

A sra. Perenna aparentemente parecia ter engolido a explicação de Tuppence. Mas e depois, quando ela descobrisse a gaveta aberta? O que pensaria? Ou acharia que tinha esquecido aberta? E será que os papéis tinham sido rearrumados na ordem correta?

Certamente, caso a sra. Perenna suspeitasse de algo, atribuiria a culpa a uma das criadas, e não à respeitável sra. Blenkensop! E, caso suspeitasse da hóspede, não atribuiria o incidente a uma excessiva curiosidade?

Porém, se a sra. Perenna fosse a agente M, certamente saberia que se tratava de um caso de investigação.

O comportamento dela não revelou coisa alguma. Ou será que aquele comentário sobre os comprimidos tinha sido feito para mostrar a Tuppence que ela sabia com quem estava lidando?

Tuppence sentou-se bruscamente na cama. Lembrou-se de que o vidro de aspirina, o de iodo e o de antiácido tinham sido colocados no fundo da gaveta da escrivaninha, encobertos por papéis. Portanto, concluiu Tuppence, ela não era a única pessoa da pensão que remexia o quarto dos outros. A sra. Perenna também tinha esse hábito.

7

No dia seguinte a sra. Sprot tinha que ir a Londres. Depois de algumas insinuações, vários hóspedes se ofereceram para tomar conta de Betty.

A sra. Sprot, depois de recomendar à filha que se comportasse bem, partiu; a menina agarrou-se tenazmente a Tuppence, que de qualquer maneira estava encarregada da criança na parte da manhã.

— Brincar — disse Betty. — Brincar, esconde-esconde!

Dia após dia a menina falava cada vez melhor; além disso, tinha pegado o hábito de falar sorrindo e inclinando a cabeça, o que a tornava irresistível.

— Pooor favoorr.

Tuppence tinha pensado em levá-la para um passeio, mas, como estava chovendo, resolveu aceitar a sugestão da menina e foram brincar no quarto dela.

— Vamos esconder o Bonzo? — perguntou Tuppence.

Betty, porém, já havia mudado de ideia.

— Lê história?

Tuppence agarrou um livro velho da prateleira, mas foi interrompida pelo grito de Betty:

— Nãoo... mau... mau.

Tuppence olhou com surpresa para a capa do livro; era uma versão colorida de Joãozinho e Maria.

— João era mau?

— Mau... — repetiu Betty, enfática. — Suso! Suso!

Ela tirou o livro das mãos de Tuppence e o substituiu pelo mesmo numa nova edição. Sorriu para Tuppence.

— Esse limpo, bom João.

A leitora percebeu que a sra. Sprot havia comprado livros novos para a filha, com medo dos micróbios, naturalmente. Ela era o tipo da mãe moderna que leva a higiene às últimas consequências.

Tuppence, que havia sido criada no campo, tinha um certo desprezo por esse tipo de exagero e havia criado seus filhos com cuidado, mas sem descambar para a mania ou a obsessão. Contudo, pegou o livro novo e leu, fazendo os comentários usuais. Em seguida, passaram para outras histórias da carochinha. Ao terminar a leitura, Betty escondeu os livros, e, para diverti-la ainda mais, Tuppence levou horas tentando achá-los. Dessa maneira a manhã passou rapidamente.

Depois do almoço, Betty foi dormir um pouco e a sra. O'Rourke pediu que Tuppence lhe fizesse uma visita. O quarto da sra. O'Rourke era bastante desarrumado, cheirava a hortelã e a bolo velho misturado com naftalina. Na mesa viam-se fotografias dos filhos e netos, sobrinhos e sobrinhas da sra. O' Rourke; a coleção era tão grande que parecia um retrato de família da rainha Vitória.

— A senhora tem muito jeito com crianças, sra. Blenkensop — comentou a sra. O'Rourke.

— Bem... com meus dois filhos...

— Dois? Entendi a senhora dizer que tinha três...

— Claro que tenho três. Mas dois são quase da mesma idade. Eu estava pensando na época em que brincava com eles...

— Ah! Entendo. Sente-se, sra. Blenkensop. Fique à vontade.

Tuppence obedeceu, enquanto se perguntava por que se sentia mal na companhia daquela mulher. Naquele momento sentia-se como João e Maria, aceitando um convite da bruxa.

— Diga-me — perguntou a sra. O'Rourke —, o que está achando da Sans Souci?

Tuppence começou um enorme discurso sobre as maravilhas da pensão, mas foi interrompida.

— O que eu estou querendo saber — perguntou a sra. O'Rourke, sem rodeios — é se a senhora não acha que existe algo de estranho aqui, neste lugar.

— Estranho? Não, não acho.

— E quanto à sra. Perenna? Tenho notado como a senhora a observa...

Tuppence enrubesceu.

— Acho que ela é uma mulher muito interessante...

— Mas não é nada interessante! É uma mulher bastante comum! Isso se ela for quem diz ser. Não é disso o que a senhora suspeita?

— Francamente, sra. O'Rourke, não sei do que está falando!

— A senhora já parou para pensar que a maioria das pessoas é diferente do que aparenta? Veja o sr. Meadowes, por exemplo. Às vezes parece um típico inglês, um tanto obtuso, e, no entanto, há momentos em que ele diz e faz coisas que demonstram uma grande inteligência. Não acha isso estranho?

— Eu acho o sr. Meadowes um típico inglês — disse Tuppence.

— Mas e os outros? Creio que sabe a quem me refiro...

Tuppence sacudiu a cabeça.

— O nome começa com a letra S — insistiu a sra. O'Rourke.

Tuppence sentiu uma revolta íntima por ver uma moça tão vulnerável ser atacada de uma forma tão leviana.

— Sheila só está revoltada — sentenciou Tuppence rispidamente. — É muito comum nessa idade.

A sra. O'Rourke sacudiu a cabeça várias vezes, como um mandarim chinês. Um sorriso recortou seus lábios.

— Talvez a senhora não saiba que o primeiro nome da sra. Minton é Sofia.

— Ah! — exclamou Tuppence, estupefata. — Estava se referindo à sra. Minton?

— Não, minha cara.

Tuppence voltou-se para a janela. Que estranho o modo como aquela mulher a impressionava, espalhando uma atmosfera de pânico e insegurança. "Como se fosse um rato nas garras de um gato", imaginou Tuppence. "É essa a sensação..." Aquele colosso de mulher sentado ali, quase ronronando, mas brincando com sua presa sem ter a menor intenção de libertá-la.

"Bobagem... é tudo bobagem! Estou fantasiando", pensou Tuppence, olhando para o jardim. Gotas de chuva batiam silenciosamente nos vidros.

"Mas não é imaginação... não sou uma pessoa fantasiosa. Existe algo de mau e errado aqui nesta pensão. Se ao menos eu pudesse ver..."

Seus pensamentos foram interrompidos abruptamente.

No fundo do jardim os arbustos se espaçavam ligeiramente entre si. Nessa brecha Tuppence distinguiu um rosto, olhando fixamente para a casa.

Era a estrangeira que tinha conversado com Carl von Deinim na estrada. O olhar era tão fixo que Tuppence pensou num animal feroz. Olhando, olhando para as janelas da Sans Souci, sem expressão, imóvel, implacável. Representava alguma força estranha ao lugar ou ao cotidiano banal da vida campestre inglesa. Como uma pantera antes de se atirar sobre a presa.

Esses pensamentos não levaram mais que alguns segundos na mente de Tuppence, que, voltando-se para a sra. O'Rourke, murmurou qualquer desculpa, saindo do quarto em seguida. Desceu as escadas e saiu da casa.

Virando à direita ela correu para o caminho lateral do jardim onde tinha visto o rosto da mulher. Ninguém! Olhou as folhagens, pela estrada e pela colina. Nada!

Onde estaria aquela mulher agora?

Furiosa, Tuppence voltou para a Sans Souci. Teria sido uma ilusão?

Não, ela sem dúvida tinha visto aquela mulher.

Obstinadamente resolveu rodear o terreno em volta da casa. Ficou inteiramente molhada, mas não viu nem sombra da mulher. Voltou para casa, com uma vaga sensação de angústia... um medo indefinido, como se algo terrível estivesse para acontecer.

Ela não adivinhou e nem poderia adivinhar o que estava por vir.

II

Como o tempo havia melhorado, a sra. Minton resolveu vestir Betty para dar uma volta, ir à cidade, comprar um patinho de borracha para a banheira da menina.

A garota estava tão excitada com o passeio que não parava quieta e não deixava sequer a sra. Minton enfiar as mangas do suéter nos seus bracinhos roliços.

As duas saíram finalmente, enquanto Betty gritava:

— Pato, Patinho para Betty! Para Betty! — já antecipando o prazer da compra.

Dois palitos de fósforo cruzados na mesa de mármore informaram Tuppence de que Tommy estava seguindo a sra. Perenna. Tuppence dirigiu-se para a sala de visitas, onde encontrou o sr. e a sra. Cayley.

O sr. Cayley, como sempre, estava de mau humor. Tinha vindo para Leahampton para descansar, mas que descanso era possível numa casa com aquela criança? O dia inteiro os gritos, a correria, o pega-pega, o pula-pula pelos quartos.

A sra. Cayley tentou amenizar, dizendo que Betty era uma criança encantadora, mas o comentário irritou ainda mais o marido.

— Talvez, talvez — disse o sr. Cayley, torcendo o pescoço. — A mãe dela é que é a culpada. Devia ter mais consideração com os outros, principalmente com os inválidos que precisam repousar...

— É difícil conter uma criança nessa idade — disse Tuppence. — Se ela fosse muito quietinha, não seria normal!

— Bobagem — replicou o sr. Cayley, furioso. — Invencionices modernas! Essa mania de deixar as crianças fazerem tudo o que querem. Uma menina deve ficar sentada, quieta, brincando com bonecas, lendo ou dormindo.

— Mas ela ainda não tem três anos! Como é que o senhor espera que ela possa ler?

— Bom, alguma providência precisa ser tomada. Vou reclamar com a sra. Perenna. Hoje de manhã, a menina estava cantando na cama, antes das sete horas! Essa noite não consegui dormir direito... e quando finalmente adormeci, ela me acordou!

— É necessário que meu marido durma bem — disse a sra. Cayley, ansiosa. — São ordens do médico.

— Por que o senhor não vai para um hospital? — sugeriu Tuppence.

— Para gastar os olhos da cara? Para me deprimir? Só de pensar em doença começo a passar mal!

— O médico disse que meu marido precisava de companhias agradáveis — explicou a sra. Cayley. — Uma vida normal, cotidiana, por isso sugeriu que viéssemos para uma pensão. Dessa forma, o sr. Cayley não correria o risco de se deprimir e poderia trocar ideias com outras pessoas.

O que o sr. Cayley entendia por "trocar ideias", segundo Tuppence, era desfiar um rosário de doenças e sintomas, enquanto o interlocutor limitava-se a abanar a cabeça.

Sutilmente, Tuppence resolveu mudar de assunto.

— Gostaria que me contasse suas impressões sobre a vida na Alemanha. O senhor falou que viajou muito por lá, nesses últimos anos. Gostaria de ouvir o ponto de vista de um homem experiente como o senhor. Pelo que notei, o senhor me parece uma pessoa isenta de preconceitos e, portanto, capaz de descrever com bastante objetividade o que viu.

Depois dessa torrente de elogios, Tuppence respirou profundamente. O sr. Cayley mordera a isca.

— Como a senhora disse, sou capaz de julgar os fatos sem preconceitos. Em minha opinião...

O monólogo do sr. Cayley era interrompido ocasionalmente, quando Tuppence dizia: "Que interessante!" ou "Que poder de observação!" etc., enquanto o orador demonstrava seu parcialismo pelo regime nazista, seu desejo de que a Inglaterra e a Alemanha se unissem contra o resto da Europa.

A volta da sra. Minton e Betty, já com o patinho de borracha, interrompeu a palestra que já estava com duas horas de duração. Tuppence notou uma estranha e indefinível expressão no rosto da sra. Cayley: talvez ciúmes por seu marido ter monopolizado a atenção de outra mulher, ou alarme pela liberdade com que Cayley tinha expressado suas opiniões políticas.

A sra. Sprot voltou de Londres na hora do chá.

— Espero que Betty tenha se portado direito. Então, Betty, não deu trabalho?

Betty limitou-se a sorrir.

— Não... — respondeu a menina, indicando que queria comer geleia de amora.

A sra. O'Rourke deu uma risada.

— Quieta, Betty, por favor — disse a sra. Sprot, sentando-se e tomando várias xícaras de chá, entremeando os goles com uma extensiva narrativa sobre suas compras em Londres, a multidão nas estações, a conversa com um soldado recém-chegado da França e a descrição de uma caixeira sobre o bombardeio num subúrbio.

A conversa era banal, como sempre, e depois do chá os hóspedes passaram para o jardim, pois a chuva já havia passado e o sol brilhava radioso. Betty corria pelos canteiros, aparecendo de vez em quando com uma folha ou um galho, que depositava no colo de um hóspede, explicando, na sua linguagem ininteligível, o que o objeto representava. Como não havia possibilidade de dialogar coerentemente com a criança, o contemplado limitava-se a agradecer a oferta.

O ambiente na Sans Souci nunca tinha estado tão cotidiano, típico e normal. Mexericos, conversas, especulações, o destino da guerra: será que a França reagiria? O primeiro-ministro conseguiria arregimentar as Forças? E a Rússia? Seria Hitler realmente capaz de invadir a Inglaterra? Seria verdade que... Ouvi dizer que... Corre um boato de que...

Os murmúrios sobre política e sobre o Exército abundavam.

"Seria perigoso esse tipo de conversa?", pensou Tuppence. Não, concluiu, pois serviam de válvula de escape. Serviam para sobreviver às preocupações e ansiedades íntimas. Ela própria contribuía com algumas novidades dos filhos etc.

— Meu Deus — exclamou a sra. Sprot, olhando para o relógio. — São quase sete horas! Betty já devia estar na cama. Betty! Betty!

A criança ainda não tinha voltado do jardim com seus presentes, e ninguém havia reparado nisso.

— Betty! Betty! — repetiu a sra. Sprot, impaciente. — Onde se meteu aquela menina?

— Deve estar preparando alguma — disse a sra. O'Rourke, rindo. — É sempre assim, quando ela fica muito quieta.

— Betty... estou chamando!

Nenhuma resposta. A sra. Sprot levantou-se impaciente.

— Acho melhor eu ir procurá-la. Onde terá se metido?

A sra. Minton sugeriu que a menina deveria estar se escondendo em algum lugar. Tuppence lembrou-se de que, quando era criança, costumava se esconder na cozinha. Começaram a procurar pelos quartos. Nada de Betty.

A sra. Sprot começou a ficar zangada.

— Que menina! Está ficando impossível! Será que ela foi para a estrada?

Tuppence e a sra. Sprot foram olhar na estrada e na colina. Só viram um entregador de armazém, conversando com uma empregada na porta da igreja.

Seguindo uma sugestão de Tuppence, foram até a igreja perguntar se algum deles tinha visto uma menina. Os dois sacudiram a cabeça num gesto negativo.

— Uma menina vestida de verde? — disse a empregada, lembrando de repente.

— Sim — respondeu a sra. Sprot, ansiosa.

— Vi uma garota há uma meia hora, descendo pela estrada com uma mulher.

— Uma mulher!? Que mulher?

A empregada pareceu embaraçada.

— Uma mulher meio estranha. Parecia estrangeira. Vestida com roupas esquisitas, um xale, sem chapéu e uma cara muito estranha, entende? Já a vi uma ou duas vezes por aí... me parece uma pessoa que passa por dificuldades... sei lá.

Tuppence lembrou-se imediatamente do rosto entre os arbustos e do pressentimento que tivera; mas jamais lhe ocorreria que aquela mulher pudesse querer alguma coisa com uma criança.

Naquele instante a sra. Sprot teve que ser amparada.

— Betty, minha filhinha! Foi raptada... essa mulher parecia uma cigana?

Tuppence sacudiu a cabeça.

— Não, não. Era uma mulher clara, de maçãs do rosto salientes e olhos azuis.

A sra. Sprot olhou para Tuppence, admirada.

— Eu a vi hoje à tarde — explicou Tuppence. — Olhando pelos arbustos do jardim. Vive rondando por aí. Um dia desses, estava conversando com Carl von Deinim. Deve ser a mesma pessoa.

— É essa mesmo — disse a empregada. — Loura, meio miserável! Não entende bem o que a gente fala!

— Meu Deus — gemeu a sra. Sprot. — Que devo fazer?

Tuppence passou o braço sobre a pobre mulher.

— Venha para casa, precisa de um calmante. Depois vamos chamar a polícia. Não se preocupe, vamos encontrar Betty.

A sra. Sprot deixou-se guiar por Tuppence.

— Não entendo como ela foi sair com uma desconhecida.

— É muito criança ainda, não desconfia das pessoas — disse Tuppence.

— Deve ser uma alemã. E vai matar minha filha!

— Não seja tola — disse Tuppence, enérgica. — Vai dar tudo certo. Deve ser uma mulher meio maluca.

Tuppence porém não acreditava no que dizia... era impossível que aquela senhora loura fosse uma louca irresponsável. Carl! O que Carl tinha com isso?

Pouco depois, Tuppence notou que, como os outros hóspedes, Carl von Deinim parecia assustado e perplexo com o desaparecimento da menina.

Assim que os fatos se esclareceram, o major Bletchley tomou conta da situação.

— Minha senhora — disse ele, dirigindo-se à sra. Sprot. — Sente-se aqui, e tome um pouco de brandy. Não vai lhe fazer mal. Enquanto isso eu vou à polícia...

A sra. Sprot murmurou:

— Não, espere... pode haver algo...

E saiu correndo pelas escadas até chegar ao seu quarto. Momentos depois ela desceu como uma demente e agarrou os braços do major, que já ia telefonar.

— Não... não... — gritou. — Pelo amor de Deus, não faça isso!

Chorando copiosamente, ela se deixou cair numa poltrona.

Os hóspedes correram para ajudá-la. Pouco depois conseguiu se controlar. Sentou-se e, apoiada pela sra. Cayley, mostrou um papel que tinha na mão.

— Encontrei isto no chão do meu quarto... foi atirado de fora, embrulhado numa pedra. Leiam...

Tommy apanhou o papel e desdobrou-o.

Era um bilhete escrito numa letra de forma rígida e graúda.

> *TEMOS SUA CRIANÇA CONOSCO A SALVO.*
> *RECEBERÁ INSTRUÇÕES QUANDO FOR OPORTUNO.*
> *SE FOR À POLÍCIA, A CRIANÇA SERÁ MORTA.*
> *AGUARDE INSTRUÇÕES, SENÃO...*

A sra. Sprot murmurava:

— Betty, Betty...

Todos falavam ao mesmo tempo.

— Assassinos — gritava a sra. O'Rourke.

— Brutamontes! — protestava Sheila Perenna.

— Fantástico! Fantástico! — dizia o sr. Cayley. — Deve ser uma brincadeira.

— Que horror! — murmurava a sra. Minton.

— Não entendo! É inacreditável — repetia Carl von Deinim.

A voz de Bletchley, porém, sobrepujava as demais.

— Bobagens! Intimidar-nos com cartinhas! Precisamos informar à polícia. Eles vão descobrir logo o que é isso...

Pela segunda vez o major agarrou o telefone, mas foi interrompido pelo grito da sra. Sprot.

— Minha senhora — gritou o major, enérgico. — Temos que agir de acordo com a lei. Estão nos ameaçando para impedir que a polícia os prenda.

— Eles vão matá-la.

— Bobagem. Eles não teriam coragem.

— Não permito, está ouvindo? Não permito que chame a polícia, sou a mãe dela... a decisão final é minha.

— Sei muito bem e é exatamente com isso que eles estão contando. Ouça meu conselho de militar e homem experiente. Devemos chamar a polícia.

— Não!

Bletchley olhou em volta, procurando aliados.

— Meadowes, você não concorda comigo?

Tommy fez que sim com a cabeça.

— Cayley? Está vendo, sra. Sprot? Meadowes e Cayley concordam comigo.

— Os homens são todos iguais! — gritou a sra. Sprot. — Pergunte às mulheres...

Tommy olhou para Tuppence.

— Concordo com a sra. Sprot — disse Tuppence, pensando em Derek e Deborah! Ela sabia que, se raptassem um dos seus filhos, agiria como a sra. Sprot. Não se atreveria a arriscar!

— Mãe alguma correria esse risco — sentenciou a sra. O'Rourke.

— Eu penso que... que... acho que... — balbuciou a sra. Cayley, insegura.

— Coisas horríveis podem acontecer — disse a sra. Minton. — Se matarem a menina, nós nunca nos perdoaremos.

— O senhor ainda não se manifestou — aparteou Tuppence, voltando-se para Von Deinim.

Os olhos azuis de Carl brilhavam, seu rosto era uma máscara impenetrável.

— Sou estrangeiro — retrucou, rigidamente. — Não conheço a polícia inglesa, não posso discutir sobre sua competência ou segurança.

Alguém entrou no saguão. Era a sra. Perenna, rubra com o esforço de correr pela ladeira.

— O que houve? — perguntou ela, incisiva, tomando imediatamente conta da situação.

Todos falaram ao mesmo tempo, mas acabaram explicando o rapto. Ela entendeu rapidamente e, pelo simples fato de compreender, parecia como se pudesse resolver a situação; pegou o pedaço de papel e devolveu-o ao major.

— Não vamos chamar a polícia — disse ela num tom definitivo. — Não podemos arriscar qualquer erro. Vamos resolver isso aqui, e reaver a criança.

— Muito bem — retrucou o major, sacudindo os ombros. — Se não chamarmos a polícia, teremos que resolver essa história.

— Eles não podem estar muito longe — comentou Tommy.

— Uma meia hora segundo a empregada — disse Tuppence.

— Vamos chamar Haydock, ele poderá nos ajudar. Tem carro! A mulher é estrangeira... devem tê-la visto por aí... vamos embora, não temos tempo a perder. Vem comigo, Meadowes?

A sra. Sprot levantou-se.

— Eu vou também — disse ela.

— Não. A senhora deve...

— Eu vou.

— Bem, como queira.

O major resmungou baixinho que as mulheres eram mais terríveis e teimosas do que os homens.

III

O comandante Haydock, tomando conta da situação com a tradicional eficácia da Marinha, pegou o carro. Tommy sentou-se ao seu lado, enquanto Tuppence, a sra. Sprot e o major colocavam--se no banco de trás. Além de Carl von Deinim, a única pessoa que conhecia a estrangeira de vista era Tuppence; e a sra. Sprot agarrava-se a ela como consolo e apoio moral.

O comandante era um bom organizador e um homem de ação. Encheu o tanque de gasolina, arranjou dois mapas da cidade, deu um para Bletchley e rumou para a estrada principal.

Antes de saírem, a sra. Sprot correu para o quarto. Os hóspedes pensaram que ela fora apanhar um casaco; porém, quando estava no carro, ela mostrou a Tuppence o revólver que tinha trazido.

— Apanhei no quarto do major. Lembrei que ele disse que tinha uma arma...

— A senhora não acha que não vai ser necessário? — perguntou Tuppence, duvidosa.

— Talvez seja — disse a sra. Sprot com fria determinação.

Tuppence considerou a estranha força que a maternidade despertara na sra. Sprot. Pensando na mãe de Betty, ela afiançaria que esta seria incapaz de pegar um revólver e, no entanto, lá estava a boa sra. Sprot armada até os dentes, pronta para matar o raptor de sua filha.

Seguindo a sugestão do comandante, foram primeiro para a estação. Um trem havia partido há vinte minutos, e talvez os raptores tivessem embarcado nele.

Na estação separaram-se. O comandante foi ao guichê, Tommy ao balcão de reservas; Tuppence e a sra. Sprot ao banheiro feminino, para averiguar se a estrangeira não estivera lá, mudando de roupa.

Não apuraram coisa alguma. O próximo passo tornou-se mais difícil. Haydock aventou a hipótese de os raptores terem partido de carro. Bletchley enfatizou novamente a necessidade de pedirem a colaboração da polícia. Como poderiam se comunicar com as outras cidades, vigiar os trens e as estradas, sem a ajuda da lei?

A sra. Sprot, porém, continuava irredutível.

— Vamos nos colocar no lugar deles. Onde teriam um carro esperando? O mais perto possível da Sans Souci, mas num lugar que não chamasse atenção. Vamos raciocinar. A mulher e Betty desceram a ladeira e foram até a praça. O carro deveria estar por perto: na praça James ou numa das ruas que lá desembocam.

Naquele instante, um homem pequeno, bastante desembaraçado, de óculos, interrompeu-os.

— Desculpem... não pude deixar de ouvir... o que perguntaram aos carregadores... — Ele voltou-se para o major Bletchley: — Eu não estava ouvindo, é claro. Vim procurar uma caixa... estranho como as encomendas demoram para chegar aqui... dizem que é por causa das tropas... o pior é quando a mercadoria se deteriora... E ouvi o que perguntaram; podem crer, foi uma maravilhosa coincidência...

A sra. Sprot pulou para a frente, agarrando o braço do homem.

— O senhor a viu? Viu minha filha?

— Ah!? Sua filha? Imagine...

— Fale! — gritou a sra. Sprot, enterrando as unhas no sujeito.

— Por favor, diga o que viu o mais rápido possível — interveio Tuppence. — Ficaremos muito gratos.

— Talvez não seja nada de mais! Mas a descrição era tão exata...

Tuppence sentiu a pobre mãe tremer, mas tentou manter-se calma, pois percebeu que estava lidando com um sujeito obsessivo, detalhista, incapaz de chegar direto a um assunto sem se perder pelo caminho trezentas vezes.

— Por favor, fale.

— Foi que... meu nome é Robbins, Edward Robbins.

— Sim, sr. Robbins.

— Moro em Whiteways, perto daqui; numa daquelas casas novas perto da estrada, aliás uma maravilha, tão perto de tudo, precisam passar por lá para apreciar a vista!

Tuppence interrompeu com um gesto o major Bletchley, que estava a ponto de estrangular o sr. Robbins.

— E de lá da sua casa o senhor viu a menina?

— É. Deve ser. Uma garotinha com uma estrangeira? Foi a mulher que me chamou a atenção, pois hoje em dia vivemos à cata de quintas-colunas, não é? Olhos abertos são o que o governo recomenda, e eu procuro seguir à risca esse conselho; por isso reparei na mulher. Pensei que fosse uma enfermeira ou uma empregada, uma porção de espiãs vem para cá trabalhar nesses cargos! Pois bem, essa mulher estranhíssima estava andando pela estrada, com uma garotinha, que parecia cansada e tinha que ser puxada, afinal já eram sete e meia, hora de uma criança dessa idade já estar dormindo, por isso olhei duramente para a mulher, que até ficou sem graça. Ela apressou o passo, puxando a criança; finalmente pegou-a no colo e tomou a direção do morro, o que me pareceu mais estranho ainda, porque sei que naquelas redondezas não tem qualquer tipo de habitação. A não ser que ela estivesse disposta a caminhar até Whitehaven, que fica a uns oito quilômetros dali, é uma trilha muito apreciada pelos atletas... pensei que talvez ela fosse sinalizar para alguém lá de cima. Somos bombardeados de rumores sobre a atividade inimiga, e certamente ela ficou bastante insegura quando me viu...

O comandante Haydock sentou-se novamente ao volante e ligou o motor.

— Foi na estrada Ernes? Do outro lado da cidade, não é?

— Sim, passando pela praça e atravessando a velha...

— Muito obrigado, sr. Robbins — disse o comandante, enquanto os outros rapidamente se acomodavam no carro, que disparou deixando para trás o informante boquiaberto.

O percurso pela cidade só não terminou em morte por acaso, em nada devendo à perícia do chofer. Passaram por um aglomerado de casas populares, algumas estradas pequenas, até que finalmente chegaram à estrada Ernes. O comandante virou à esquerda e rumou ladeira acima. No final da estrada chegaram a um atalho por onde só poderiam continuar a pé.

— Não seria melhor descermos aqui? — sugeriu Bletchley.

— Não seria melhor irmos de carro? — perguntou, por sua vez, Haydock. — O terreno é meio acidentado, mas acho que o carro aguenta.

— Sim, sim, por favor — implorou a sra. Sprot. — Precisamos ganhar tempo.

— Só espero que aquele sujeito esteja com a razão — murmurou o comandante.

O carro gemeu pela estrada, mas aguentou firme os trambolhões. Sem perda de tempo chegaram ao topo da colina, de onde podia se divisar a baía de Whitehaven.

— Não seria má ideia — comentou Bletchley — a mulher passar a noite aqui e amanhã tentar fugir de trem.

— Nem sinal dela — disse Haydock, olhando pelo binóculo que previdentemente havia trazido. De repente, o comandante pareceu enrijecer o corpo. — Céus, lá estão as duas!

Voaram para o carro, e Haydock engatou a primeira. Não demorou para os ocupantes avistarem duas figuras na estrada... uma senhora puxando uma criança, vestida de verde: Betty.

A sra. Sprot soltou um grito.

— Calma, minha filha, calma.

Continuaram até chegar perto da mulher, que, ao ouvir o carro, correu para a beira do precipício. Os passageiros saltaram e correram em direção à raptora. A sra. Sprot tomou a dianteira seguida pelos outros; quando estavam a dez metros de distância, a mulher agarrou a criança.

— Meu Deus, ela vai jogar a criança pelo abismo! — gritou Haydock.

A mulher continuou agarrada a Betty, o rosto desfigurado pelo ódio. Murmurou uma frase incompreensível enquanto abraçava a criança, olhando para o abismo.

Era evidente que ela estava ameaçando atirar a criança pelo abismo, portanto os perseguidores não ousavam se mover, paralisados pelo medo.

Haydock puxou um revólver do bolso.

— Ponha essa criança no chão ou eu atiro.

A estrangeira riu e apertou a criança nos braços. As duas figuras se transformaram numa só.

— Não me atrevo a atirar com medo de matar a criança — resmungou Haydock.

— A mulher é louca. É capaz de se atirar com a criança no abismo — disse Tommy.

— Não posso atirar — disse Haydock.

Naquele instante ouviu-se um tiro. A mulher vacilou um instante e caiu no chão com a criança nos braços. A sra. Sprot, os olhos dilatados, ficou parada com o revólver na mão.

Tommy ajoelhou-se. Virou a mulher e pôde notar a beleza selvagem do seu rosto. Os olhos dela encararam Tommy e depois tornaram-se opacos. Com um leve suspiro, morreu sem conseguir falar, em consequência da bala que penetrara na testa.

Ilesa, Betty correu para a mãe, que parecia petrificada. A sra. Sprot pareceu reanimar-se, jogou a pistola no chão e abraçou a filha.

— Salva, salva! — gritou. — Oh, Betty... Betty... será que eu a matei? — perguntou em seguida, num tom nervoso.

— Não pense nisso agora, pense em Betty.

A sra. Sprot agarrou-se a Betty, chorando. Tuppence juntou--se aos homens.

— Que milagre! Eu não seria capaz de dar um tiro tão certeiro. Não creio que ela saiba manejar uma arma, mas tiro meu chapéu para a pontaria da sra. Sprot.

— Graças a Deus — disse Tuppence, arrepiada, olhando para o abismo a seus pés.

8

Passaram-se vários dias até que a sra. Blenkensop e o sr. Meadowes conseguissem ficar a sós novamente para poderem trocar ideias.

A semana tinha sido cheia de acontecimentos: a morta fora identificada como Vanda Polonska, refugiada polonesa, que viera para a Inglaterra no começo da guerra. Pouco se sabia a seu respeito, mas descobriu-se que ela vinha recebendo dinheiro de uma fonte não identificada, chegando-se à conclusão de que devia ser espiã.

— E com isso voltamos à estaca zero — disse Tommy, amargurado.

— Como sempre, eles fecham todas as saídas. Não deixam papéis ou qualquer rastro...

— Temos que admitir que eles sabem trabalhar. Não estou gostando nada dessa história — acrescentou Tommy.

Ela concordou que as novidades não eram das mais auspiciosas. O Exército francês estava recuando, e parecia difícil que pudesse reagir; Dunquerque continuava a evacuação; faltava pouco tempo para Paris capitular; o desânimo diante da falta de matéria-prima para fazer frente ao poderio nazista; tudo, enfim, contribuía para o desespero do casal.

— Será que se trata apenas da típica morosidade britânica? Será que por trás de tudo isso não está havendo algum tipo de manipulação deliberada?

— Me parece ser esse o caso, mas é algo que ninguém nunca vai conseguir provar.

— É verdade. Nossos inimigos são espertos demais...

— Estamos justamente tentando limpar a sujeira.

— Ah, sim, conseguimos localizar os elementos suspeitos mais óbvios, mas não estamos chegando aos cabeças do movimento. Um plano muito bem armado, que se aproveita da nossa boa-fé, das nossas disputas internas e da nossa habitual morosidade!

— Por isso nos mandaram para cá... e não conseguimos descobrir coisa alguma — admitiu Tuppence.

— Não é bem assim... — corrigiu Tommy.

— Pegamos dois peixinhos: Carl von Deinim e Vanda Polonska.

— Acha que estavam agindo em parceria?

— Creio que sim — respondeu Tuppence. — Lembre-se de que os encontrei conversando...

— Então deve ter sido Carl quem bolou o rapto.

— Acho que sim.

— Mas por quê?

— Não sei — respondeu Tuppence. — Não consigo encontrar um motivo! Foi um gesto totalmente disparatado...

— E por que raptariam aquela menina? Quem são os Sprot? Pelo dinheiro nós sabemos que não foi. Sabemos também que os pais de Betty não são funcionários do governo.

— Como eu disse, não tem o menor sentido.

— A sra. Sprot não sugeriu alguma explicação?

— É uma mulher com a inteligência de uma galinha. Incapaz de pensar! A única coisa que disse é que os alemães são maus e raptam crianças.

— É uma tola — concordou Tommy. — Se eles destacam um agente para raptar uma criança, deve haver um motivo.

— Tenho certeza de que, se a sra. Sprot parasse para pensar um pouco, ela seria capaz de descobrir o motivo do rapto. Deve haver alguma coisa... talvez uma informação que ela possua, sem o saber, e naturalmente será incapaz de divulgar...

— Não diga coisa alguma, aguarde instruções — citou Tommy, lembrando-se do bilhete encontrado no quarto da sra. Sprot. — Com seiscentos diabos, isso tem que significar alguma coisa.

— É evidente. O que me ocorre é que talvez a sra. Sprot ou o marido tenham recebido algo para guardar... pois ninguém suspeitaria deles... e talvez tenham perdido ou extraviado...

— Pode ser.

— Sei que parece novela de espionagem, e não uma realidade.

— Já pediu para a sra. Sprot fazer um esforço de memória?

— Sim, mas ela não está interessada. Só queria Betty de volta... em seguida, ficou histérica porque matou uma pessoa.

— As mulheres são engraçadas — disse Tommy. — Ela partiu como um Cavaleiro do Apocalipse, disposta a dizimar um exército para recuperar a filha, e quando consegue matar a raptora resolve ter um ataque histérico!

— Já foi até liberada pela polícia — informou Tuppence.

— Claro. Porém eu nunca me arriscaria a dar um tiro como aquele!

— Nem ela, se entendesse de armas. Foi por não saber atirar que ela fez o que fez!

— Como na Bíblia — disse Tommy. — O caso de Davi e Golias.

— Ah!

— O quê?

— Não sei bem, mas o que você acabou de dizer acendeu uma luzinha no meu cérebro... só que já não consigo mais lembrar o que é!

— Grande ajuda! — comentou Tommy com sarcasmo.

— Não seja implicante. São coisas que acontecem.

— Você estava fazendo uma analogia com o homem que acertou por acaso?

— Não... o que me ocorreu tinha uma ligação qualquer com Salomão.

— Cedros, templos, muitas esposas e concubinas?

— Fique quieto — disse Tuppence, tapando os ouvidos. — Assim você me atrapalha.

— Judeus? — sugeriu Tommy. — Tribos de Israel?

Tuppence sacudiu a cabeça.

— Gostaria de me lembrar com que se parecia aquela mulher.

— Vanda Polonska?

— Sim. Desde que a vi pela primeira vez, venho tentando me lembrar.

— Acha que já a tinha encontrado em outro lugar?

— Não. Tenho certeza que não.

— A sra. Perenna e Sheila são tipos completamente diferentes dela.

— Isso não vem ao caso. Aliás, tenho também pensado nelas.

— E daí?

— Não sei bem. Mas aquele bilhete que a sra. Sprot encontrou no chão, no dia do rapto...

— Sim?

— Não acredito que tenha sido atirado pela janela. Foi colocado lá... para que a sra. Sprot o encontrasse. E tenho quase certeza de que foi a sra. Perenna quem fez isso.

— A sra. Perenna, Carl von Deinim, Vanda Polonska, todos unidos...

— Sim. Você reparou como ela apareceu no momento exato e dominou a situação? Como nos convenceu a não chamar a polícia?

— Você acha que ela é M?

— Não concorda?

— Creio que sim — respondeu Tommy.

— Por quê, suspeita de outra pessoa?

— Sim, mas é tão absurdo...

— Fale.

— Não. Prefiro guardar comigo. Não tenho base alguma para ter certeza, mas creio que não estamos lutando contra M, e sim contra N.

Tommy calou-se, pensando em Bletchley. Talvez não estivesse implicado na história. Parecia um verdadeiro soldado... verdadeiro demais talvez, e não devo esquecer que ele queria chamar a polícia. Ao mesmo tempo, Bletchley podia imaginar que a mãe se recusaria! O bilhete era bem claro, de maneira que ele poderia perfeitamente fingir que deviam agir dentro da lei...

Assim pensando, Tommy voltou à estaca zero. Porque não poderia concluir coisa alguma se não descobrisse por que raptaram Betty Sprot.

II

Um carro da polícia estava parado em frente à pensão Sans Souci; absorta em seus pensamentos, Tuppence não se preocupou com isso; ao entrar na pensão, dirigiu-se para seu quarto.

No umbral da porta ela parou ao divisar uma figura, se afastando da janela.

— Meu Deus! — exclamou. — Sheila?

A moça correu para Tuppence, que percebeu que ela estava transtornada.

— Que bom que a senhora veio, eu a estava esperando.

— O que houve?

— Prenderam Carl — informou Sheila, num tom de voz monocórdico.

— A polícia?

— Sim.

— Meu Deus! — exclamou Tuppence, sentindo-se incapaz de ajudar a moça, uma vez que acreditava que a polícia devia ter descoberto algo de conclusivo sobre o alemão. Apesar disso, Tuppence sabia que eles se amavam e não podia deixar de sentir pena da moça.

— Que devo fazer? — perguntou Sheila.

Tuppence ficou mais atrapalhada ainda com a pergunta.

— Minha querida — murmurou.

— Levaram-no embora... nunca mais o verei! Que faço da minha vida? — perguntou ela, aos gritos, atirando-se na cama.

Tuppence acariciou a cabeleira negra.

— Não é bem assim. Talvez o coloquem num lugar até o fim da guerra. Afinal, ele é alemão.

— Não foi o que eles disseram. Estão inclusive dando busca no quarto.

— Bem, se não encontrarem coisa alguma... — disse Tuppence.

— E não vão encontrar. O que poderiam encontrar?

— Não sei. Talvez você saiba...

— Eu?

A surpresa e o desprezo de Sheila eram tão reais que Tuppence, naquele momento, teve certeza de que ela não estava de forma alguma envolvida na trama.

— Se ele for inocente — disse Tuppence.

— Tem alguma importância? A polícia já decidiu o que deve fazer.

— Não é bem assim, Sheila — disse Tuppence, enfática.

— A polícia inglesa é capaz de tudo. Minha mãe sabe muito bem disso.

— Pois ela está enganada. Posso garantir que não é bem assim.

Sheila olhou para Tuppence com um ar de dúvida.

— Bem, se a senhora tem tanta certeza... eu confio na senhora...

Tuppence sentiu-se incomodada com aquele comentário.

— Você confia demais nas pessoas, Sheila. Talvez tenha acreditado demais em Carl.

— A senhora também está contra ele? Pensei que gostasse dele. Ele também acha que a senhora gosta dele...

"Pobres crianças", pensou Tuppence. "Tão cegos e confiantes." No entanto era verdade que ela simpatizava com Carl.

— Ouça, Sheila — disse Tuppence, cansada. — Não se trata de gostar ou não gostar das pessoas. Estamos em guerra, e existem várias formas de ajudar o país ao qual pertencemos. Uma delas é obtendo informações... é preciso coragem para ser espião, pois, quando se é apanhado... — Tuppence fez uma pequena pausa — não há mais solução...

— A senhora acha que Carl...

— Está trabalhando para a Alemanha? É possível, não é?

— Não — respondeu Sheila.

— É claro, minha filha, que ele teria que vir para cá como um refugiado, que teria que parecer antinazista, pois só assim conseguiria informações...

— Não é verdade — respondeu Sheila, baixinho. — Conheço Carl profundamente. Ele se interessa pela ciência, pelo trabalho, pela verdade e pelo estudo. Está grato aos ingleses por poder trabalhar aqui. Às vezes, quando dizem coisas mesquinhas e cruéis, ele se revolta, mas odeia os nazistas e tudo o que eles representam.

— Mas é claro que ele diria isso — disse Tuppence.

Sheila voltou-se para Tuppence com um ar de reprovação.

— Então a senhora acha que ele é realmente um espião?

— Acho que pode ser... possível.

Sheila dirigiu-se para a porta.

— Entendo. Me arrependo de ter vindo aqui pedir sua ajuda.

— Mas o que você acha que eu poderia fazer? — perguntou Tuppence.

— A senhora conhece muita gente. Seus filhos estão no Exército, na Marinha... ouvi a senhora dizer que eles conhecem gente influente... pensei que pudesse interceder em favor de Carl...

Tuppence pensou nos filhos imaginários: Douglas, Raymond e Cyril.

— Não creio que eles possam fazer muita coisa.

Sheila jogou a cabeça para trás, num gesto de desespero.

— Então não temos saída. Vão prendê-lo, levá-lo embora daqui, e um dia desses vão resolver fuzilá-lo. E tudo estará acabado.

Ela saiu, batendo a porta.

"Malditos, malditos irlandeses!", pensou Tuppence, furiosa. "São capazes de distorcer a realidade e de confundir os outros. Se Carl von Deinim é um espião, merece ser fuzilado. É a realidade... não posso deixar essa menina me convencer de que é um herói trágico ou um grande mártir."

— Se ao menos não fosse verdade — disse ela em voz alta. — Se ao menos não fosse verdade.

Mas, sabendo o que ela sabia, como poderia ainda ter dúvidas?

III

O pescador, sentado no fim do píer, atirou o anzol no mar.

— Não tem a menor dúvida.

— É uma pena — disse Tommy —, ele era um bom rapaz.

— Geralmente são — retrucou Grant. — Os covardes não se oferecem como voluntários para esse tipo de serviço. Só os valentes, disso nós já sabemos. No caso desse rapaz, porém, não temos mais a menor dúvida.

— Nenhuma?

— Nenhuma. Entre os fichários de química estava escrito, em código, o nome das pessoas da fábrica de quem ele devia se aproximar por se tratarem de simpatizantes do fascismo. Além disso, um plano de sabotagem e um processo químico para ser empregado em grandes áreas de plantio que acabariam destruindo nossa lavoura. Tudo isso era departamento de Herr Carl.

Sem grande convicção, mas seguindo as instruções de Tuppence, Tommy arriscou:

— Não seria possível que alguém estivesse tentando incriminá-lo?

O sr. Grant sorriu um sorriso diabólico.

— Ideia de sua mulher?

— Bem... para ser sincero... é...

— O rapaz é realmente bastante simpático — disse Grant, num tom tolerante. — Mas não podemos levar essa sugestão em conta, uma vez que ele possuía um estoque de tinta invisível, o que por si só já é altamente suspeito. Não foi fácil encontrar esse material, de maneira que não foi colocado lá por outras pessoas. Essa tinta invisível, por exemplo, não ficava à mão, mas dentro de um vidro de xarope. Não, sr. Beresford... em toda a minha vida só encontrei um esconderijo tão engenhoso, quando apanhei um espião que usava como esconderijo o botão do próprio casaco. Cada vez que queria escrever mergulhava o botão na água... no caso de Carl, a tinta estava embebida nos cordões dos sapatos.

— Ah — murmurou Tommy, lembrando-se vagamente de qualquer coisa.

Tuppence foi mais rápida. Assim que Tommy mencionou o fato ela gritou:

— Laços de sapato? Tommy, encontrei a explicação.

— O que é?

— Betty, seu tolo. Não se lembra do que ela fez no meu quarto, quando molhou os laços dos sapatos num copo com água? Na hora achei graça e não pensei mais sobre o assunto. Agora sei que ela estava imitando Carl. Como não podia correr o risco de ser descoberto, pediu à mulher que a raptasse.

— Essa história então fica esclarecida — disse Tommy.

— Sim. É bom quando as coisas começam a tomar jeito e fazem certo sentido. A gente pode passar adiante e resolver outros problemas.

— E precisamos ir adiante — concordou Tuppence.

A situação internacional continuava a piorar. A França surpreendentemente tinha se rendido, apesar do espanto do próprio povo francês. O destino da Marinha francesa estava em jogo. As costas da França estavam tomadas pelos alemães, e a possibilidade de invasão não era mais uma contingência remota.

— Carl von Deinim era apenas um elo na cadeia. A sra. Perenna é a chave — disse Tommy.

— Temos que apanhá-la. Mas não será fácil.

— Claro que não. Se ela é a chefe, é porque é a mais capaz.

— Será que M é a sra. Perenna?

Tommy achou que sim.

— Tem certeza de que a menina não está envolvida? — perguntou, em seguida.

— Tenho.

Tommy suspirou.

— Bem, você é quem sabe. Que falta de sorte! Primeiro se apaixona por um espião... por outro lado a mãe... o futuro dela é bastante sombrio.

— Que podemos fazer?

— Agora, imagine se M ou N forem outras pessoas.

— Ainda está repisando nisso? — perguntou Tuppence, friamente. — Não está levando sua imaginação longe demais?

— Como assim?

— Sheila Perenna, por exemplo.

— Não seja absurda, Tuppence.

— Não estou sendo absurda. Ela conquistou você como conquistaria qualquer homem...

— Não é o caso. Acontece que também tenho minhas teorias.

— Por exemplo?

— Prefiro guardá-las por enquanto. Veremos no final quem está com a razão.

— Bem, precisamos partir para cima da sra. Perenna. Descobrir aonde vai, quem encontra. Deve haver alguma ligação, algum contato. É melhor falar com Albert.

— Fale você, estou muito ocupado.

— Aonde você vai?

— Vou jogar golfe — disse Tommy.

9

— Parece até a outra guerra, não é, madame? — perguntou Albert, sorrindo. Embora já estivesse na meia-idade e um tanto gordo, continuava o mesmo romântico incurável que colaborara com Tommy e Tuppence anos atrás. — Lembra-se de quando nos conhecemos? Polindo os bronzes no alto da escada enquanto a senhora inventava uma história sobre um larápio chamado Zas-Trás. Confesso que a história tinha um fundo de verdade e não me arrependi de tê-la seguido. Já passamos por poucas e boas juntos!

Albert deu um suspiro cheio de saudosismo. Tuppence perguntou pela sra. Albert.

— Vai bem, mas não se adapta ao País de Gales. Acha que eles deviam aprender a falar inglês. Como segurança, por outro lado, não adianta grande coisa, pois já tivemos dois bombardeios aéreos. Podíamos ter muito bem ficado em Londres que dava no mesmo! Pelo menos comeríamos uma comida decente e não teríamos que olhar para uma paisagem tão melancólica!

— Não sei se devíamos metê-lo nessa história — disse Tuppence, com um ar culpado.

— Ora, madame. Quando tentei me alistar, eles disseram que eu estava velho demais! Logo eu, que sou um homem saudável, louco para participar e liquidar alguns alemães. Só quero ajudar. A senhora manda que eu faço. Sei que temos que liquidar essa quinta-coluna... já li nos jornais... se bem que gostaria de saber o que aconteceu com as outras quatro! Em resumo, estou pronto para ajudar a senhora e o capitão Beresford.

— Está bem. Preste atenção no que vou dizer.

II

— O senhor conhece Bletchley há muito tempo? — perguntou Tommy, dando uma tacada e observando a curva da bola até o centro do gramado.

O comandante, que também tinha feito uma boa jogada, juntou os tacos de golfe, rindo de satisfação.

— Bletchley? Deixe-me ver... uns nove meses, mais ou menos. Ele veio para cá no último outono.

— É amigo de um amigo seu, não é? — perguntou Tommy.

— Eu disse isso? — perguntou o comandante, surpreso. — Não, não creio. Eu o conheci aqui no clube.

— Um homem misterioso, não acha?

O comandante ficou espantado com a pergunta.

— Misterioso? O velho Bletchley? — perguntou, incrédulo.

Tommy suspirou. Realmente Tuppence tinha razão, ele estava se deixando levar pela imaginação.

Deu outra tacada. Haydock juntou-se a ele.

— Por que acha Bletchley um homem misterioso? Eu o considero um homem muito comum... típico militar! Meio teimoso, mas regrado. Essa vida militar não dá margem para grandes fantasias. Agora, chamá-lo de misterioso?

— Essa ideia me ocorreu por uma coisa que me disseram... — balbuciou Tommy, indeciso.

O comandante ganhou o *hole*.

— Viu essa? — perguntou feliz.

Como Tommy esperava, assim que o comandante realizou a jogada que desejava, voltou a falar sobre o major.

— Mas misterioso de que forma? — perguntou Haydock, intrigado.

Tommy sacudiu os ombros.

— Parece que ninguém sabe muita coisa a seu respeito.

— Estive no Regimento dos Rughies.

— Mas tem certeza?

— Não... francamente, não! Ouça, Meadowes, o que há? Descobriu alguma coisa sobre Bletchley?

— Não, claro que não — disse Tommy, deixando o comandante chegar às próprias conclusões.

— Sempre me pareceu o tipo do cara comum — protestou Haydock.

— Exatamente!

— Ah, você quer dizer que ele talvez seja um cara comum demais? Mais genuíno do que o próprio artigo?

"Estou influenciando a testemunha", pensou Tommy. "Mas quem sabe o velho não me aparece com uma nova sugestão?"

— Sei o que está querendo dizer — disse Haydock — e, agora que você falou, eu me lembro de que nunca encontrei uma pessoa que conhecesse Bletchley antes de ele vir para cá. Não parece ter velhos amigos... ou coisa parecida.

— Ah! — exclamou Tommy. — Vamos continuar a partida? O dia está lindo, e nós devemos fazer um pouco mais de exercício.

Andaram alguns metros e depois se separaram para dar alguns *shots*.

Quando se reencontraram, Haydock perguntou:

— O que você ouviu falar dele?

— Nada... nada.

— Não precisa ter cuidado comigo, Meadowes. Estou acostumado a ouvir boatos. Todo mundo vem contar coisas para mim. O que é? Estão dizendo que Bletchley não é quem diz ser?

— Sugeriram.

— Na sua opinião, quem é ele? Um alemão? Não vê que o homem é tão inglês quanto eu ou você?

— Que ele é inglês eu tenho certeza.

— Está sempre clamando que os estrangeiros deviam ser presos. Estava contra aquele rapaz alemão... e tinha razão. Ouvi extraoficialmente do delegado que a polícia descobriu provas contra Von Deinim capazes de levá-lo à forca várias vezes. Parece que o rapaz estava inventando um procedimento para envenenar o suprimento de água do país... além de trabalhar com um gás especial, numa das nossas fábricas! Meu Deus, a falta de visão de nossos dirigentes. Deixar um suspeito desses solto numa fábrica! Acredito que nosso governo seria capaz de qualquer loucura. Basta um sujeito vir de outro país, antes da guerra, gemer que foi perseguido e pronto! Começamos a contar todos os nossos segredos. Na época daquele sujeito chamado Hahn foi a mesma coisa...

Tommy não tinha intenção de ouvir o comandante discorrer mais uma vez sobre aquela velha história. Propositadamente errou no jogo.

— Esta jogada agora é minha! — declarou Haydock feliz, acertando a bola no buraco. — Você está meio fora de forma. Sobre o que nós estávamos falando mesmo?

— Sobre Bletchley — disse Tommy.

— É mesmo... É mesmo. No outro dia, ouvi uma história curiosa sobre ele... na hora, não prestei muita atenção...

Nesse momento, para grande raiva de Tommy, foram interrompidos por dois cavalheiros. Os quatro voltaram para o clube e tomaram alguns drinques. A uma certa hora, o comandante, olhando o relógio, sugeriu que fossem para casa. Tommy já havia combinado de jantar com o comandante.

A casa de Haydock, como sempre, estava em perfeita ordem. Um criado de meia-idade serviu o jantar com a eficiência de um garçom londrino.

Quando o criado retirou-se, Tommy comentou esse fato.

— Tive sorte em arranjar Appledore.

— Como foi que o conseguiu?

— Por anúncio. Tinha ótimas referências, era infinitamente melhor que os outros candidatos e pedia um salário relativamente pequeno. Contratei-o na hora.

— Com a guerra, nossos restaurantes ficaram desertos. A maioria dos garçons era estrangeira. Os ingleses não dão muito para garçons.

— Não possuímos o servilismo dos outros povos. Rapapés e mesuras não se adaptam ao nosso temperamento.

Mais tarde, no terraço, tomando café, Tommy perguntou:

— O que você ia dizer sobre Bletchley, hoje à tarde?

— O que foi mesmo? Olhe! Lá em frente, bem no horizonte! Vou buscar a luneta.

Tommy suspirou. Tudo parecia conspirar contra ele! O comandante entrava e saía da casa, olhava o mar com a luneta, formulava um sistema completo de comunicação com o estrangeiro e discorria longamente sobre a terrível invasão inimiga que se aproximava.

— Falta organização, coordenação! Você já fez Exército, sabe a que me refiro. Agora com um sujeito como Andrews na liderança... — A nomeação de Andrews era uma pedra no sapato de Haydock. Ele é quem devia estar no comando, e não sossegaria enquanto não lhe dessem aquele posto.

O criado trouxe uísque e licores, enquanto o comandante discursava.

— ...estamos cercados de espiões... literalmente cercados. Lembra-se da última guerra? Cabeleireiras, garçons...

Tommy, inclinando-se para trás, examinou o perfil de Appledore, enquanto este desaparecia pela cozinha.

— Garçons? Esse seu poderia chamar-se Fritz, em vez de Appledore.

"E por que não?", pensou Tommy. O criado falava inglês perfeitamente, mas Tommy conhecia vários alemães que dominavam o idioma inglês como se tivessem nascido em Londres. Para um garçom não era difícil, uma vez que estava em constante treino durante o trabalho. O tipo racial não era tão diverso. Ambos os povos eram louros, de olhos claros. Geralmente os alemães tinham um formato de cabeça diferente — onde foi que tinha visto uma cabeça dessas ultimamente?

O que ele dissera por impulso se encaixava perfeitamente com o discurso do comandante.

— Para que esses formulários? Não servem para coisa alguma. Uma série de perguntas cretinas...

— Eu sei. Como por exemplo: qual é o seu nome? Responda N ou M.

Um estrondo ecoou pela casa. Appledore, o criado perfeito, tinha tropeçado, derrubando uma bandeja com *crème de menthe*, empapando a camisa e a mão de Tommy.

— Desculpe, senhor — gaguejou o criado.

— Seu estúpido incompetente! — berrou Haydock. — Como pôde fazer uma besteira dessas?

"E ainda falam do temperamento quente dos membros do Exército! Certamente desconhecem a fúria da Marinha", pensou Tommy, observando o rosto roxo de cólera de Haydock, enquanto vituperava contra o criado que abjetamente murmurava algumas desculpas.

Como por encanto, a fúria amainou.

—Venha se lavar, meu caro. Esse negócio mancha muito. Tinha que ser *crème de menthe*!

Tommy seguiu o comandante até o dormitório. No banheiro, Tommy lavou-se cuidadosamente, enquanto Haydock, do quarto ao lado, falava em tom de contrição.

— Acho que perdi a cabeça. Pobre Appledore! Ainda bem que ele sabe que de vez em quando me excedo...

Tommy voltou-se para a pia, enxugando as mãos. Não notou que o sabonete havia caído no chão. Assim que se dirigiu para a porta, pisou em cima do mesmo e executou uma pirueta no ar. Voou para o outro lado do banheiro de braços abertos; um braço caiu em cima da torneira da banheira enquanto o outro batia contra a privada. A extravagância da queda só poderia ser repetida por um acrobata profissional! As pernas bateram com força na porta do banheiro.

Tudo aconteceu numa fração de segundo. A banheira escorregou pela parede adentro, revelando uma sala secreta que, Tommy não teve dúvidas, só podia ser usada para transmitir por ondas curtas.

O comandante tinha se calado e apareceu na porta do banheiro. Como numa ligação elétrica, tudo se iluminou no cérebro de Tommy.

Como pudera ser tão cego? Aquele rosto jovial... de um inglês típico... era uma máscara! Como não percebera que aquele homem era um oficial prussiano mal-humorado e prepotente? É claro que o tombo facilitou a descoberta. Tommy lembrou-se também de outro incidente, anos atrás, em que um comandante alemão descompôs um soldado raso, da mesma maneira como Haydock agira há pouco com o criado.

Tudo se encaixava como num passe de mágica. O agente Hahn, enviado pelo inimigo na frente para preparar o terreno, contratar pessoas, chamar atenção sobre si; até chegar ao ponto de ser desmascarado pelo galante marinheiro inglês, o valoroso comandante Haydock. Nada mais natural do que o desbaratador de quadrilhas comprar a casa dos antigos espiões e passar a relatar, *ad nauseam*, sua proeza a quem quisesse ouvir? Assim, M, instalado no seu posto com seu rádio transmissor, seus assessores na Sans Souci e ajudado por N, podia dar prosseguimento aos planos inimigos.

Tommy não pôde conter um sentimento de verdadeira admiração pela engenhosidade do plano. Ele nunca suspeitara de Haydock... aceitou-o como um verdadeiro inglês... e só por um acaso tinha descoberto toda a manobra.

Todos esses pensamentos cruzaram a mente de Tommy em poucos segundos. Sabia imediatamente que corria grave perigo, portanto precisava continuar representando seu papel de inglês crédulo e ingênuo.

Virou-se para Haydock, rindo, tentando parecer o mais natural possível.

— Céus! Não param de acontecer coisas na sua casa! É outra das invenções de Hahn? Você não nos mostrou essa saleta naquela noite, mostrou?

Haydock estava parado na porta. A tensão do seu corpanzil refletia-se em todas as fibras do seu ser.

"Não posso com ele", pensou Tommy. "Ainda por cima tem aquele empregado."

Haydock parecia esculpido em pedra!

— Isso foi hilário, Meadowes — disse o comandante, relaxando os músculos. — Você parecia um dançarino. Nunca vi uma proeza igual.... Enxugue as mãos e venha para o quarto.

Tommy seguiu-o até o quarto, alerta a qualquer movimento. Precisava sair da casa ileso e transmitir a informação. Conseguiria enganar Haydock?

O comandante agia com naturalidade, passando o braço em torno de Tommy, guiando-o até a sala de visitas e fechando a porta.

— Preciso falar com você — disse ele num tom confidencial.

A voz parecia amigável, naturalmente um tanto embaraçada. O comandante fez um gesto, convidando Tommy a sentar-se.

— É meio difícil começar — disse Haydock. — É realmente um tanto complicado. Mas não tenho outro jeito senão confiar em você. Ninguém mais pode saber disso, entendeu?

Tommy procurou parecer interessado, enquanto Haydock aproximava a poltrona.

— É o seguinte, Meadowes. Ninguém pode saber, mas estou trabalhando para o Serviço Secreto. M. 142 B X... é esse o nome do meu departamento. Já ouviu falar nele?

Tommy sacudiu a cabeça.

— É pouco difundido. É uma subdivisão mais secreta, se é que me entende. Transmitimos algumas informações... mas seria fatal se alguém viesse a saber disso, compreendeu?

— Claro, claro — respondeu Meadowes. — Mas isso é maravilhoso! Pode contar comigo, não contarei a ninguém.

— É o principal. Tudo tem que ser altamente secreto.

— Compreendo. Seu trabalho deve ser interessantíssimo! Gostaria de saber mais detalhes, mas sei que não seria possível, não é?

— Evidente. Tudo é muito confidencial.

— Peço desculpas... foi um acidente tão fantástico!

"Será que Haydock está acreditando?", perguntou-se Tommy.

Em seguida, lembrou-se de que a vaidade é o pior defeito do homem. O comandante Haydock era um homem inteligente, forte... Meadowes era um inglesinho insignificante... crédulo, capaz de engolir qualquer bobagem. Deus queira que Haydock continuasse pensando daquela maneira!

Tommy continuou tagarelando, demonstrando interesse e curiosidade por tudo. Sabia que não devia fazer perguntas, mas queria saber: o trabalho do comandante era realmente assim tão perigoso? Ele tinha mesmo ido trabalhar na Alemanha?

Haydock respondeu com simpatia, sempre dentro do seu papel de simpático oficial inglês, pois o militar prussiano havia desaparecido, enquanto Tommy, depois da revelação, se perguntava como poderia ter se enganado tanto! O formato da cabeça, a linha do queixo, um típico alemão!

Finalmente Meadowes levantou-se. O teste final! Daria certo?

— Preciso ir andando... está ficando tarde... Desculpe, mas sabe que pode contar comigo. — "Agora ou nunca! Será que ele me deixará sair? Caso contrário, vou ter que partir para um soco nesse queixo."

Falando sempre, Meadowes encaminhou-se para a porta. Chegaram ao saguão... Tommy abriu a porta.

Pela fresta da porta da cozinha, Tommy viu Appledore arrumando as xícaras, para o café da manhã, numa bandeja. (Os idiotas iam deixar Tommy escapar!)

Os dois passaram para a varanda, conversando. Marcaram uma partida de golfe para o sábado seguinte.

"Não vai haver partida alguma para você", pensou Tommy.

Ouviram vozes que vinham da estrada. Dois homens voltavam de um passeio. Tommy acenou para um deles, que conhecia de vista, e despediu-se de Haydock.

Tinha escapado!

Tommy ouviu o comandante voltar para casa e fechar a porta. Caminhou alegremente ao lado dos dois homens.

O tempo parecia querer mudar. O velho Monroe parecia querer voltar ao jogo; Ashby recusou-se a participar da Liga de Defesa; o jovem filho de Marsh não queria ir para a guerra por uma questão de princípio; Meadowes, não achava que deviam discutir isso na reunião? Houve um sério bombardeio em Southampton, ontem à noite, com muitos danos. O que Meadowes achava da Espanha? Pois desde a queda da França...

Tommy vibrava de satisfação ao ouvir aquela conversinha fiada. Que sorte esses dois homens terem surgido àquela hora! Despediu-se deles no portão da Sans Souci e seguiu pela alameda, assobiando feliz.

Quando passou pelo canteiro de prímulas, um objeto pesado bateu na sua cabeça. Ele desmaiou imediatamente, mergulhando na escuridão e no esquecimento.

10

— A senhora disse três de espadas, sra. Blenkensop?

Sim, ela tinha dito três de espadas. A sra. Sprot voltou do telefone, explicando que haviam novamente transferido o teste de seleção para voluntários e perguntando qual era o trunfo. A sra. Minton, como sempre, interrompia o jogo, fazendo considerações sobre as cartas.

— Eu disse dois de paus? Tem certeza? Pensei que o jogo fosse sem trunfo... Ah! É mesmo, agora me lembro... a sra. Cayley falou sobre copas, não foi? Eu ia fazer o jogo sem trunfo, embora não tivesse tempo de contar as cartas, quando a sra. Cayley disse dois de copas, e aí eu tive que jogar meus dois de paus.

Tuppence concluiu que seria mais fácil jogar com a sra. Minton se ela abrisse o jogo na mesa, em vez de descrever cada carta que tinha na mão.

— Então, estamos resolvidas? — perguntou a sra. Minton. — Dois de copas e dois de paus?

— Dois de espadas — disse Tuppence.

— Eu passei a vez, não foi? — perguntou a sra. Sprot.

As três olharam para a sra. Cayley, que se debruçou para a frente para ouvir melhor.

A sra. Minton continuou seu relatório:

— Aí, a sra. Cayley disse dois de copas, e eu falei três de copas.

— E eu disse três de espadas — interveio Tuppence.

— Passo — disse a sra. Sprot.

A sra. Cayley continuou calada. Por fim, notou que a observavam.

— Ah! Desculpem, mas de repente fiquei preocupada com meu marido. Será que ele está bem, lá no terraço? — perguntou ela, olhando ansiosamente para as jogadoras. — Se não se incomodam, vou dar uma olhada. Ouvi um barulho estranho. Talvez ele tenha adormecido e deixado o livro cair no chão.

Ela saiu correndo. Tuppence deu um suspiro exasperado.

— Ela devia andar com uma coleira no pescoço para que ele puxasse quando precisasse dela.

— É a esposa ideal — comentou a sra. Minton.

— É raro ver tal dedicação!

— Acha mesmo? — perguntou Tuppence, mal-humorada.

As três mulheres ficaram em silêncio.

— Onde está Sheila? — perguntou a sra. Minton.

— Foi ao cinema — respondeu a sra. Sprot.

— E a sra. Perenna? — quis saber Tuppence.

— Disse que ia ficar no quarto fazendo as contas — disse a sra. Minton. — Coitada... imaginem passar a noite fazendo contas...

— Não é exatamente a noite inteira, porque ela vinha chegando da rua na hora em que eu estava no telefone.

— Onde será que ela foi? — perguntou a sra. Minton, curiosa, pois sua vida limitava-se a participar de acontecimentos desse vulto.

— No cinema não foi, por causa da hora.

— Ela estava sem chapéu e sem casaco — disse a sra. Sprot. — O cabelo desarrumado, quase sem fôlego, como se tivesse voltado para casa correndo. Correu escada acima e olhou para mim furiosa, como se eu tivesse feito alguma coisa errada.

A sra. Cayley voltou para a sala.

— Imaginem que meu marido andou sozinho pelo jardim! Deu um bom passeio, aliás a noite está muito agradável. Bem, onde estávamos mesmo? — perguntou a boa senhora, sentando-se e apanhando as cartas.

Tuppence controlou-se para não dizer algo desagradável. Fizeram os lances novamente, e ela atirou na mesa o três de espadas.

A sra. Perenna entrou.

— Gostou do passeio? — perguntou a sra. Minton.

A sra. Perenna olhou para ela mal-humorada.

— Eu não saí de casa.

— Mas eu ouvi a sra. Sprot dizer que a senhora tinha vindo da rua...

— Fui lá fora dar uma olhada no tempo — disse a dona da casa num tom rude e áspero.

A sra. Sprot enrubesceu e pareceu assustada com a resposta da sra. Perenna.

— Sabia que meu marido andou sozinho pelo jardim? — perguntou a sra. Cayley.

— E por quê? — perguntou a sra. Perenna, numa voz estridente.

— Está uma noite tão agradável! Ele nem quis pôr o cachecol! Insiste em ficar lá fora... só espero que não se resfrie!

— Existem coisas piores que um resfriado. Imaginem se uma bomba explodir sobre nossas cabeças.

— Meu Deus, que horror!

A sra. Perenna saiu para o terraço. As quatro jogadoras estavam tão espantadas com o comportamento da proprietária que por um momento não conseguiram falar.

— Ela está muito esquisita hoje! — disse a sra. Sprot.

A sra. Minton debruçou-se sobre a mesa.

— Vocês não acham — disse ela, olhando para os lados, enquanto as outras se debruçavam também sobre a mesa, para ouvir melhor — que talvez ela beba?

— Será possível? — exclamou a sra. Cayley. — Talvez seja por isso que ela se comporta tão estranhamente. O que acha, sra. Blenkensop?

— Não sei. Tenho a impressão de que ela está preocupada com alguma coisa... é sua vez de jogar, sra. Sprot.

— Não sei o que fazer... — disse a sra. Sprot, olhando as cartas da mão, como que indagando o que deveria fazer. Ninguém se atreveu a sugerir coisa alguma, embora a sra. Minton, que sistematicamente espiava o jogo das parceiras, estivesse apta a fazer alguma indicação. — Isso foi a Betty? — perguntou, apurando os ouvidos.

— Não, não foi — respondeu Tuppence com firmeza, pronta para gritar se não continuassem o jogo.

A sra. Sprot voltou a atenção para o jogo.

— Acho que vou pedir ouros... — disse ela, visivelmente preocupada com a filha.

O leilão recomeçou liderado pela sra. Cayley.

— Sempre que estou em dúvida, solto um trunfo — disse a sra. Cayley jogando sobre a mesa um nove de ouros.

— Acabou de jogar fora uma carta que representa uma maldição na Escócia — disse uma voz cavernosa.

A sra. O'Rourke estava parada na porta do terraço, ofegante, com os olhos brilhando. Seu olhar revelava malícia, enquanto se dirigia para as jogadoras.

— Um amigável joguinho de bridge?

— O que é isso que a senhora tem na mão? — perguntou a sra. Sprot.

— Um martelo — respondeu a sra. O'Rourke, sorrindo. — Encontrei-o no jardim. Alguém deve ter esquecido...

— Que lugar estranho para largarem um martelo — comentou a sra. Sprot.

— Lá isso é verdade — concordou a sra. O'Rourke, de muito bom humor. Saiu da sala, balançando o martelo pelo cabo.

— É seu trunfo, dessa vez?

O jogo prosseguiu por mais algum tempo, sem interrupções, até a entrada do major Bletchley, que tinha ido ao cinema ver o Menestrel errante. Sentou-se e começou a contar o filme inteiro; como militar, naturalmente, criticou algumas cenas de batalha e alguns erros técnicos.

Antes de terminar o jogo, a sra. Cayley percebeu que era tarde e saiu correndo para buscar o marido.

O inválido entrou, amparado pela mulher, feliz de poder representar o papel de moribundo altruísta.

— Não tem importância, meu bem — disse ele, num tom sepulcral, intercalando as palavras com arrepios de frio e ataques de tosse. — Espero que tenha se divertido. Não ligue para mim; mesmo se tiver apanhado um forte resfriado, estou satisfeito por saber que você se divertiu... afinal, minha cara, estamos em guerra!

II

Assim que desceu para o café, Tuppence sentiu uma certa tensão no ar. A sra. Perenna, visivelmente irritada, fez alguns comentários azedos e assim que teve uma oportunidade retirou-se da sala.

O major Bletchley, enquanto se servia de geleia, resolveu exteriorizar alguns comentários.

— Os ventos por aqui andam gelados, mas isso não é de se estranhar!

— Por quê? O que aconteceu? — perguntou a sra. Minton, debruçando-se sobre a mesa e esticando o pescoço, ansiosa para ouvir o novo mexerico.

— Não sei se devo dar com a língua nos dentes — disse o major, provocando a plateia.

— Ora, major Bletchley!

— Conte logo, por favor — pediu Tuppence.

O major olhou para suas ouvintes: a sra. O'Rourke, a sra. Cayley, a sra. Blenkensop e a sra. Minton. A sra. Sprot e a filha tinham acabado de se retirar.

— Meadowes. Deve ter andado na farra ontem à noite. Ainda não voltou para a pensão.

— O quê? — exclamou Tuppence.

O major olhou para Tuppence com malícia, divertindo-se com a aflição da viúva.

— Parece que resolveu se divertir, e naturalmente a velha Perenna está furiosa.

— Que coisa! — disse a sra. Minton, enrubescendo. A sra. Cayley pareceu chocada, enquanto a sra. O'Rourke limitava-se a rir.

— A sra. Perenna já havia me dito — disse a gorda escocesa. — Os homens são todos iguais!

— E se o sr. Meadowes não tiver sofrido um acidente ontem à noite, com o blecaute? — perguntou a sra. Minton.

— Se não fosse o blecaute, que desculpa os homens iriam arranjar? Na outra guerra, quando eu fazia a patrulha, nem posso enumerar a quantidade de mulheres que estavam na rua "para encontrar os maridos". Todas naturalmente com documentos de identidade falsos. Tudo desculpa para prevaricar! — exclamou o major, dando uma gargalhada que foi interrompida pelo olhar fulminante da sra. Blenkensop. — A natureza humana é divertida — concluiu, meio sem graça.

— Mas o sr. Meadowes — interveio a sra. Minton — pode ter realmente sofrido um acidente. Quem sabe se não foi atropelado?

— É certamente o que ele vai dizer quando voltar: que foi atropelado, desmaiou e só recobrou os sentidos no dia seguinte — disse o major.

— Mas quem sabe não foi parar no hospital?

— Já nos teriam notificado. Ele anda com a carteira de identidade, não anda?

— Meu Deus! — murmurou a sra. Cayley —, que será que meu marido vai dizer sobre tudo isso?

Tuppence não se dignou a responder àquela pergunta retórica. Limitou-se a fingir uma dignidade ofendida e saiu da sala.

O major riu quando ela fechou a porta.

— Pobre Meadowes — comentou Bletchley —, deixou a viuvinha furiosa. Ainda mais ela, que estava crente que o tinha conquistado.

— Ora, major Bletchley — disse a sra. Minton, repreendendo-o.

O major piscou o olho.

— Lembra que Dickens dizia que devíamos tomar cuidado com as viúvas?

III

Tuppence ficou preocupada com a ausência de Tommy, mas tentou controlar-se. Talvez ele tivesse descoberto uma pista importante e estivesse atrás do rastro, sem ter encontrado tempo para avisá-la. Eles sabiam que, devido às circunstâncias, não poderiam se comunicar com a facilidade de sempre e, nos casos de uma ausência inexplicada, não deveriam se preocupar. O casal já havia previsto um código de comunicações, caso surgisse uma emergência.

A sra. Perenna, segundo a sra. Sprot, tinha saído na noite anterior. A veemência com que negou esse fato só serviu para aguçar a curiosidade de Tuppence sobre o assunto.

Talvez Tommy tivesse seguido a sra. Perenna e descoberto algo importante. Certamente ele tentaria se comunicar com ela assim que pudesse. Mesmo assim, Tuppence não podia deixar de ficar nervosa; mas seu papel de viúva namoradeira lhe permitia demonstrar certa ansiedade em relação a Meadowes. Foi procurar a sra. Perenna, que não estava disposta a conversar sobre o assunto, alegando que não esperava um comportamento semelhante de um hóspede da sua pensão.

— Mas e se ele sofreu um acidente? Ele não me parece um farrista... ou um bêbado. Sabe lá se ele não foi atropelado por um carro!

— De qualquer maneira, logo nos comunicarão.

Porém, Meadowes não deu sinal de vida. À noite, instigada pelos hóspedes, a sra. Perenna resolveu telefonar para a polícia.

Um sargento apareceu com um prontuário onde anotou todos os traços característicos de Meadowes. Alguns fatos foram esclarecidos no correr da investigação: o sr. Meadowes saiu da casa do comandante Haydock às 10h30. Na porta encontrou o sr. Walters e o dr. Curtis, que o acompanharam até o portão da Sans Souci.

Desse momento em diante, o sr. Meadowes desapareceu. Tuppence formulou duas hipóteses: primeira, quando vinha para casa Tommy viu a sra. Perenna, escondeu-se na mata e a seguiu.

Viu com quem ela deve ter se encontrado, seguiu esse novo suspeito, enquanto a sra. Perenna voltava para a pensão. Nesse caso, o trabalho da polícia seria inteiramente inútil.

A outra possibilidade não era nada agradável. Partia-se em duas imagens, uma da sra. Perenna voltando para casa ofegante, e a outra da sra. O'Rourke, entrando pelo terraço, com um martelo na mão.

O martelo!

Quem teria deixado um martelo no jardim? Não era fácil descobrir. Tudo dependia da hora em que a sra. Perenna tinha entrado em casa. Certamente foi por volta das 10h30, mas nenhuma das jogadoras de bridge podia precisar a hora exata. A sra. Perenna tinha negado, com veemência, que saíra da pensão. Mas por que entrou tão ofegante se tinha saído apenas para olhar o tempo? Por que ficou tão furiosa com a sra. Sprot? Tuppence não podia desconfiar das jogadoras de bridge. Que horas eram quando jogavam? As jogadoras não se lembravam. Se pudesse precisar a hora exata, a sra. Perena talvez fosse a suspeita. Mas sempre havia outras possibilidades. Dos pensionistas, três estavam ausentes na noite em que Tommy desapareceu. O major Bletchley fora ao cinema — sozinho. Também não devíamos esquecer a riqueza de detalhes com que ele insistiu em contar o filme como se quisesse estabelecer um álibi.

O sr. Cayley resolvera dar uma volta no jardim. Se não fosse a ansiedade da sra. Cayley, talvez ninguém viesse a tomar conhecimento desse fato: continuariam imaginando o pobre inválido, envolto em lãs, sentado como uma múmia, no terraço. (Fato estranho, se considerarmos o medo que ele tem dos ares maléficos da noite.) E finalmente a sra. O'Rourke, balançando o martelo...

IV

— O que aconteceu, Deb? Você está com um ar tão preocupado!

Deborah Beresford, surpreendida pela observação, começou a rir para Tony Mardson. Ela gostava de Tony, um rapaz inteligente — um dos melhores estagiários do departamento de codificação — e que tinha pela frente um brilhante futuro.

Deborah gostava do trabalho, embora este lhe exigisse um grande esforço de concentração: era cansativo, mas lhe dava uma sensação de utilidade por ser muito importante. Isso, sim, era trabalho, e não o tempo que perdera no hospital treinando para ser enfermeira.

— Nada. Estava pensando na família.

— Não param de nos dar trabalho! O que anda fazendo a sua?

— É minha mãe. Estou preocupada com ela.

— Por quê? O que aconteceu?

— Foi para a Cornuália passar uns tempos com minha tia de 78 anos, que está completamente gagá.

— Não deve realmente ser muito divertido — comentou Tony.

— Foi por bondade e também porque estava se sentindo inútil aqui, onde ninguém precisava dela. Na última guerra ela foi enfermeira, mas hoje em dia as coisas mudaram, e o governo não quer saber de gente velha. Querem jovens como nós, gente alerta! Por isso ela resolveu ir para a Cornuália, cuidar da tia Gracie, fazer jardinagem, plantar legumes etc.

— Fez bem — disse Tony.

— Foi o melhor que podia fazer. Ela ainda é uma mulher muito ativa.

— Então está tudo bem.

— Não, não está. Eu estava contente com ela lá... recebi uma carta, dois dias atrás, parecia muito alegre.

— Não entendo de que você está se queixando.

— O que aconteceu é que eu pedi a Charles que lhe fizesse uma visita. Só que ela não está lá!

— Como assim?

— Não só não está como nunca esteve!

Tony pareceu confuso.

— Estranho — murmurou. — Onde está seu pai?

— O velho? Está na Escócia. Num desses ministérios onde eles arquivam três cópias de papel por dia.

— Será que sua mãe não está com ele?

— Não. Ele foi para uma área interditada às esposas.

— Vai ver ela resolveu viajar — disse o rapaz, visivelmente embaraçado com o problema de Deborah.

— Mas, então, por que aquelas cartas sobre a tia Gracie, o jardim, o pomar...?

— Ah! — interveio Tony. — Bem, vai ver ela quer que você acredite nisso e foi para um lugar onde... você me entende?

Deborah ficou furiosa.

— Se você acha que minha mãe é do tipo que vai passar fim de semana com outros homens, está redondamente enganado. Meus pais se adoram, chega até a ser cômica a dedicação dos dois... Ela jamais...

— Bem, desculpe, mas eu não conheço sua mãe.

Deborah acalmou-se. Passou os dedos sobre a testa.

— Outro dia vieram me dizer que a viram em Leahampton, e eu neguei porque tinha certeza de que ela estava na Cornuália. Agora não sei mais...

Tony riscou um fósforo para acender um cigarro, mas diante da surpresa o fósforo acabou se apagando.

— Leahampton? — perguntou ele.

— Sim. O último lugar do mundo em que eu poderia imaginar minha mãe! Não tem nada a ver com tias velhas ou coronéis aposentados.

— É realmente estranho — disse Tony.

Finalmente acendeu o cigarro.

— O que sua mãe fez na última guerra?

— Enfermagem, era motorista de um general...

— Pensei que ela trabalhasse no Serviço Secreto, como você.

— Minha mãe não poderia trabalhar nesse tipo de serviço. Acho que ela e papai andaram fazendo umas investigações... papéis secretos e espionagem... e é claro que eles exageram quando recordam essas histórias para se fazerem de importantes, você entende? Hoje em dia, nós não puxamos mais esse assunto para evitar a repetição das histórias...

— Entendo — disse Tony Mardson. — Conheço bem essas conversas...

No dia seguinte, ao voltar para a pensão onde morava, Deborah notou algo de estranho no seu quarto. Levou alguns minutos para descobrir o que havia acontecido. Tocou a campainha e perguntou para a dona da pensão onde haviam colocado o retrato que estava sobre a cômoda.

A sra. Rowley ficou ofendida com a pergunta. Talvez a empregada... mas Gladys não havia mexido no retrato. O homem que estivera lá dentro era da companhia de gás...

Deborah recusou-se a acreditar que um empregado da companhia de gás teria roubado o retrato de uma senhora. Provavelmente Gladys, quando fizera a limpeza, quebrara a moldura e escondera a prova do crime na lixeira.

A moça achou melhor não insistir. Teria que pedir outro retrato à mãe.

"O que será que ela anda fazendo?", perguntou-se Deborah. "Podia me contar. É claro que ela não teria, segundo a sugestão de Tony, ido se encontrar com algum amante, mas de qualquer maneira a história estava muito malcontada..."

11

Chegou a vez de Tuppence conversar com o pescador. Ela desejava ardentemente que o sr. Grant lhe desse alguma esperança. Mas ocorreu o contrário. O sr. Grant não sabia o paradeiro de Tommy.

— Não temos motivos para acreditar que tenha acontecido alguma coisa com ele, temos? — perguntou Tuppence, tentando manter-se calma e profissional.

— Por enquanto não. Mas suponhamos que tenha acontecido...

— O quê?

— Estou apenas conjeturando. Supondo que tenha acontecido algo. O que a senhora faz?

— Ah, sim. Eu continuo a investigar, é claro.

— Muito bem. É para a frente que se anda. Estamos em guerra, e o tempo está passando; uma informação que a senhora trouxe já foi comprovada. Refere-se ao número quatro; é a data marcada para a invasão da Inglaterra. Será no dia 4 do mês que vem.

— Tem certeza?

— Quase absoluta. Nosso inimigo tem muito método, só age depois de um cuidadoso planejamento. Quisera Deus que nós também fôssemos tão organizados. Sim, dia 4 é o dia D! Esses bombardeios são feitos unicamente para o reconhecimento da área, para testar nossos reflexos e defesas diante dos ataques aéreos. No dia 4, porém, eles vão invadir para valer.

— Mas, se o governo sabe disso....

— Sabemos a data. Supomos onde vai ser o ataque, mas podemos estar enganados. Estamos preparados para recebê-los. Lembra-se do cerco de Troia? O rei sabia quem eram os inimigos externos, mas desconhecia os inimigos internos. São esses que nós precisamos desmascarar! Os homens escondidos no cavalo de madeira, que podem entregar a chave da cidade ao inimigo. Uma dúzia de pessoas, colocadas em postos-chave, comandando áreas estratégicas... que na hora H, para criar confusão, dão ordens desencontradas e facilitam a entrada do inimigo. Precisamos descobri-los, antes que seja tarde demais.

— Sinto-me tão incapaz, tão inexperiente — disse Tuppence.

— Não se preocupe com isso. Temos gente experiente e capaz conosco, mas quando se trata de traição não sabemos com quem poderemos contar. Por isso apelei para o seu marido... e por isso acho que vocês dois têm uma grande chance de descobrir tudo.

— Não pode colocar pessoas de confiança no rastro da sra. Perenna? Deve ter alguns agentes de confiança.

— Já fizemos isso. Sabemos que ela é ligada ao Exército Rebelde Irlandês, mas não conseguimos arranjar provas suficientes que comprovem que ela seja uma espiã. Precisamos de fatos concretos. Continue trabalhando, sra. Beresford, e veja o que consegue nesse sentido.

— Dia 4 é daqui a uma semana — comentou Tuppence.

— Exatamente.

Tuppence torceu as mãos.

— Precisamos agir depressa, e digo que precisamos pois acredito que Tommy esteja seguindo uma pista e por isso desapareceu. Se eu pudesse fazer o mesmo...

Ela franziu a testa. Acabara de ter uma ideia!

II

— Entende, Albert, que talvez seja uma possibilidade?

— Entendo, é claro. Mas não gosto muito da ideia.

— Talvez dê certo.

— Mas a senhora vai se expor demais, e é disso que eu não gosto. Tenho certeza de que o patrão também não gostaria.

— Já tentamos de tudo. Fizemos o possível para nos manter na sombra; nossa única chance, agora, é mostrarmos o jogo.

— Mas a senhora se dá conta de que está abrindo mão de uma valiosa posição?

— Você parece locutor de rádio, Albert! — disse Tuppence, exasperada.

Albert resolveu voltar a conversar naturalmente.

— Ouvi uma palestra muito interessante sobre a vida vegetal, ontem à noite — explicou o ex-mordomo.

— Não temos tempo agora para conversas — disse Tuppence, nervosa.

— Onde estará o capitão Beresford é o que eu gostaria de saber!

— Eu também!

— Não me parece natural o desaparecimento dele, sem maiores explicações. Ele já devia ter mandado notícias. Por isso...

— Sim, Albert?

— Se ele já foi desmascarado pelo inimigo, talvez a senhora devesse continuar disfarçada...

Albert fez uma ligeira pausa.

— Talvez eles o tenham apanhado, mas ainda desconheçam que a senhora está metida nessa história. Por isso aconselho-a a continuar a representação.

— Se ao menos eu pudesse me decidir...

— O que a senhora pretende fazer, madame?

— Eu estava pensando em perder uma carta... criar uma grande confusão; quando a empregada achasse a carta e a colocasse no saguão, certamente a pessoa iria dar uma olhada...

— Qual seria o conteúdo da carta?

— Em linhas gerais, que eu tinha descoberto a identidade da pessoa X e que mandaria um relatório detalhado em seguida. Aí N ou M teria que tentar me eliminar.

— E talvez até consiga!

— Não se eu estiver prevenida! Eles teriam que me atrair para algum lugar... e nesse caso você me seguiria...

— E os apanharia com a boca na botija?

Tuppence concordou.

— Mais ou menos isso — disse ela. — Vou pensar melhor sobre o assunto. Amanhã falaremos.

III

Tuppence estava saindo da biblioteca pública com um livro, recomendado pela bibliotecária, embaixo do braço, quando foi surpreendida por uma voz.

— Sra. Beresford!

Voltou-se espantada e encontrou um rapaz alto, moreno, que lhe sorria com um cativante ar de acanhamento.

— A senhora não está se lembrando de mim?

Tuppence estava acostumada a essa pergunta. Previu até a frase que iria ouvir em seguida.

— Nós nos conhecemos no apartamento de Deborah — disse ele, conforme o previsto.

Os amigos de Deborah! Tantos e tão parecidos que Tuppence não conseguia distingui-los. Alguns louros, outros morenos, como o rapaz a sua frente, às vezes um ou outro ruivo, mas todos, sem exceção, feitos na mesma forma... simpáticos, bem-educados, de cabelos compridos ("Mamãe, não estamos em 1916, eu não suporto homem de cabelo curto!").

Aborrecida por ter encontrado e sido reconhecida por um amigo de Deborah, Tuppence apressou-se em descartar o rapaz.

— Meu nome é Anthony Mardson.

— Ah! Claro — disse Tuppence, apertando a mão dele, como se o conhecesse há vinte anos.

— Estou muito contente por revê-la, sra. Beresford. Talvez não saiba, mas trabalho na mesma seção de Deborah, e deu-se uma situação bastante embaraçosa.

— É mesmo? O que foi?

— Deborah descobriu que a senhora não está na Cornuália... Como vê, é uma situação bastante desagradável...

— Meu Deus! — exclamou Tuppence. — Como foi que ela descobriu?

Tony Mardson explicou.

— Deborah, naturalmente — concluiu ele —, não sabe o que a senhora está fazendo. É muito importante que ela continue ignorando. Meu trabalho é parecido com o seu. Me tomam por um principiante no departamento de codificação, mas tenho instruções para expressar pontos de vista ligeiramente fascistas... admiração pela Alemanha, insinuações pró-aliança de Hitler com a Inglaterra etc... Tudo isso para poder observar as reações do pessoal. Existem muitos espiões por aí, e nós precisamos desmascará-los.

"Eu concordo", pensou Tuppence.

— Assim que Deborah me falou sobre a senhora — prosseguiu o rapaz — pensei em procurá-la para preveni-la. Sei o que a senhora está fazendo e que é um trabalho importantíssimo. Agora que sabe das suspeitas de Deborah, tem tempo para preparar uma boa desculpa. Seria fatal se soubessem quem é a senhora. Talvez fosse melhor escrever uma carta informando que se juntou ao capitão Beresford na Escócia; pode até dizer que lhe ofereceram um emprego lá.

— Não é má ideia — replicou Tuppence, pensativa.

— Espero que a senhora não ache que eu estou me intrometendo — disse Tony, ansioso.

— Não, não, eu até estou muito grata...

— Porque... Porque — gaguejou o rapaz — eu gosto muito de Deborah.

Tuppence olhou para ele, sorrindo. Quão longe estava daquele mundo onde os jovens eram atenciosos e Deborah rudemente os rechaçava, sem afastá-los definitivamente; olhou com atenção para Mardson e julgou-o bastante atraente.

Tuppence afastou "esses pensamentos de período de paz" e concentrou a atenção no presente.

— Meu marido não está na Escócia — disse ela, depois de uma pequena pausa.

— Não?

— Não. Está aqui comigo. Pelo menos estava. No momento anda desaparecido.

— Ora, vejam! Isso é mau! Ou será que ele descobriu alguma coisa?

— Acho que sim — disse Tuppence. — Por isso não estou tão preocupada com o desaparecimento dele. Sei que mais cedo ou mais tarde ele vai tentar se comunicar comigo — concluiu ela sorrindo.

Tony sorriu, embaraçado.

— É claro que a senhora conhece as regras desse jogo. Precisa tomar cuidado.

Tuppence concordou com a cabeça.

— Sei do que está falando. Nos livros as heroínas são sempre raptadas. Mas nós dois temos o nosso código secreto... e particular.

— Como assim?

— Não adianta eu lhe explicar — respondeu Tuppence. — O senhor verá que tudo vai dar certo.

— Espero que sim. Não quero me intrometer... mas posso ser útil em alguma coisa?

— Sim — respondeu Tuppence. — Acho que pode.

12

Depois de passar um bom tempo inconsciente, Tommy começou a sentir a proximidade de uma bola de fogo, que encerrava em seu núcleo uma dor; e, ao mesmo tempo que o universo começava a diminuir, descobriu que a bola de fogo era sua própria cabeça.

Aos poucos foi se conscientizando da dormência nas pernas, da fome e da incapacidade de mover os lábios.

A bola de fogo começou a balançar mais vagarosamente até se transformar na cabeça de Tommy Beresford, que estava pousada sobre um cimento duro e frio. Parecia de pedra.

Sim, ele estava deitado sobre as pedras, com dor, sem poder se mover, com fome e com frio. Embora as camas da sra. Perenna não fossem as mais macias do mundo, aquela...

É claro... Haydock! A sala secreta com o rádio transmissor, o criado alemão... a entrada na pensão... Alguém tinha lhe dado uma pancada na cabeça, por isso doía tanto.

E ele, que acreditava ter enganado o inimigo... Haydock não era tão tolo assim!

Haydock? Quando ele saiu o comandante havia fechado a porta. Então como teria conseguido chegar à pensão antes dele? Impossível.

O criado, talvez? Teria sido mandado na frente, para aguardá-lo? Mas, quando Tommy estava se despedindo, no saguão, tinha visto Appledore na cozinha pela fresta da porta. Ou será que tinha imaginado? Talvez fosse essa a explicação.

Mas que importava isso, naquele momento? O importante era descobrir onde estava...

Aos poucos os olhos foram se acostumando com a escuridão e divisaram um pequeno retângulo de luz, talvez uma janela ou uma grade? O ar era úmido e abafado. Tommy concluiu que devia estar numa adega. Estava com os pés e as mãos atados, e uma mordaça envolvia sua boca.

"Acho que dessa vez me dei mal", pensou Tommy.

Tentou mover-se, mas não conseguiu.

Naquele momento ouviu um estalido, e uma porta abriu-se. Um homem, iluminando a sala com uma vela, entrou. Tommy reconheceu imediatamente Appledore, que saiu por um instante para logo voltar com uma bandeja contendo um copo com água e um pedaço de pão com queijo.

Abaixando-se, o criado examinou as cordas e tocou a mordaça.

— Vou retirar a mordaça para que o senhor possa comer e beber. Se fizer o menor barulho, terei de amordaçá-lo outra vez.

Tommy tentou mover a cabeça, mas não conseguiu; limitou-se a abrir e fechar os olhos algumas vezes. Appledore, interpretando o piscar de olhos como um consentimento, desamarrou a mordaça.

Podendo mexer a boca, Tommy passou alguns instantes exercitando o queixo. Engoliu a princípio com dificuldade, mas aos poucos foi melhorando. Bebeu a água com sofreguidão.

— Que bom! Já não sou tão jovem quanto antigamente. Agora me dê de comer, Fritz, ou seu nome é Franz?

— Meu nome é Appledore — disse o criado, segurando o sanduíche que Tommy comia com apetite.

Depois de tomar mais água, Tommy resolveu perguntar:

— E agora?

Como resposta Appledore apanhou a mordaça.

— Quero falar com o comandante Haydock — disse Tommy depressa.

Appledore sacudiu a cabeça, recolocou a mordaça e saiu. Tommy ficou no escuro, meditando. Finalmente adormeceu e foi acordado quando a porta se abriu; dessa vez, eram Appledore e Haydock. Tiraram a mordaça e desamarraram as mãos de Tommy, para que ele pudesse sentar e esticar os braços.

Haydock tinha uma pistola automática na mão.

Tommy, sem muita convicção, continuou a representar o seu papel.

— Que significa isso, Haydock? — perguntou, indignado. — Fui raptado...

O comandante sacudiu a cabeça lentamente.

— Pode parar. Não vale a pena continuar com isso.

— Só porque você é do Serviço Secreto, acha que pode...

Haydock sacudiu a cabeça novamente.

— Não, não, Meadowes. Eu sei que você não engoliu aquela história. Não precisa continuar fingindo.

Mas Tommy não se deu por achado, pois sabia que Haydock não poderia ter absoluta certeza.

— Quem pensa que é? — perguntou Tommy. — Sejam lá quais forem os seus poderes, você não tem o direito de agir dessa maneira. Sou capaz de manter um segredo sobre qualquer assunto.

— Você é um excelente ator! Devo adiantar, porém, que não me interesso em saber se você é do Serviço de Inteligência britânico ou um simples abelhudo...

— Que audácia!

— Pare com isso, Meadowes!

— Eu estou lhe dizendo....

Haydock virou-se para Meadowes furioso.

— Cale a boca, cretino. Antes, valeria a pena descobrir quem é você e quem o mandou aqui. Agora, não tem mais importância. Temos pouco tempo, e eu sei que você ainda não teve ocasião de falar com ninguém.

— A polícia vai procurar por mim.

— Já esteve aqui hoje — sorriu Haydock, mostrando os dentes. — São bons sujeitos e muito amigos meus. Estão muito preocupados com o seu desaparecimento. Fizeram muitas perguntas sobre seu estado de espírito, sua disposição, naquela noite em que você esteve aqui. É claro que não poderiam sonhar que o desaparecido estava amarrado sob os pés deles. Outro detalhe importante é que a polícia tem certeza de que você saiu daqui vivo. Nunca virão procurá-lo aqui...

— Você não pode me manter aqui eternamente — disse Tommy, com veemência.

— Não será necessário, meu caro. Você só ficará aqui até amanhã à noite, quando será transportado por um barco... por questões de saúde... embora eu não creia que você consiga chegar ao seu destino com vida.

— Não sei por que você não me matou de uma vez — disse Tommy.

— Com esse calor, meu caro, e com os problemas de comunicação, não podemos nos arriscar com um cadáver pelas vizinhanças. Como vê, pensamos em tudo.

— Entendo — disse Tommy.

Tommy entendia, pois tudo estava muito claro. Iriam mantê-lo vivo até a chegada do barco. Seria assassinado e levado para o mar. Sua morte não poderia ser associada ao comandante Haydock.

—Vim aqui — disse Haydock o mais casualmente possível — para perguntar se deseja que tomemos uma providência mais tarde.

— Obrigado. Não desejo que você tire um cacho do meu cabelo e envie para minha esposa ou qualquer papagaiada do gênero. Ela só vai sentir minha falta no dia do pagamento, mas creio que logo arranjará outro trouxa.

Tommy sabia que precisava dar a impressão de que estava agindo sozinho. Enquanto não ligassem seu nome com Tuppence, ainda teria uma chance.

— Como quiser — disse Haydock. — Se desejasse mandar uma mensagem a sua companheira, nós nos encarregaríamos disso.

Haydock, então, estava interessado em saber quem era ele... Pois bem! Continuaria no escuro!

— Não, obrigado — respondeu Tommy.

— Como queira — disse Haydock, aparentando total indiferença e fazendo um sinal a Appledore. Tommy foi novamente amarrado e amordaçado.

Sozinho com seus pensamentos, Tommy sentiu-se mais infeliz do que nunca. Não só estava às vésperas da morte, como também não tinha maneira de comunicar a ninguém suas últimas e valiosas descobertas.

Estava totalmente amarrado, física e mentalmente. E se ele aproveitasse Haydock para deixar um recado? Se ao menos pudesse raciocinar com clareza!

A última esperança era Tuppence. Mas que poderia ela fazer? Como Haydock dissera, o desaparecimento dele não seria relacionado ao comandante, da casa de quem ele saíra vivo, segundo o testemunho de duas pessoas.

Tuppence poderia suspeitar de qualquer pessoa, menos de Haydock. Certamente ela devia ter atribuído o desaparecimento dele à descoberta de uma nova pista.

"Maldição!", pensou Tommy. "Se ao menos tivesse prestado mais atenção antes de entrar na pensão!"

O porão estava bastante escuro, a única luz vinha de uma grade. Se conseguisse soltar a mordaça, talvez pudesse pedir socorro.

Ocupou-se durante meia hora, tentando soltar as cordas e a mordaça. Não conseguiu. Tinha sido amarrado por peritos. Devia ser quase noite, pensou Tommy, a casa estava silenciosa, provavelmente Haydock deveria estar jogando golfe, especulando com os amigos do clube sobre o paradeiro de Meadowes.

"Jantou comigo ontem à noite! Estava muito bem, e de repente desapareceu como fumaça..."

Tommy sacudiu o corpo, furioso. Aquele maldito farsante! Como seria possível não terem percebido aquele alemão desgraçado? Também não podia se queixar, uma vez que ele mesmo tinha sido ludibriado pela excelente representação de Haydock.

Tommy sentiu que havia fracassado totalmente na sua missão. E agora? Posto numa gaiola, esperando como um frango para ser abatido.

Se ao menos Tuppence tivesse uma visão... Se ela suspeitasse... já houve vezes em que ela tivera uma inspiração...

Ele forçou os ouvidos. Que ruído fora aquele?

Um homem cantarolando.

E ele impossibilitado de pedir socorro.

A cantoria tornou-se mais próxima. O cantor não podia ser mais desafinado, mas as palavras podiam ser reconhecidas. Era uma canção da última guerra que estava na moda, outra vez.

"Se você fosse a única mulher do mundo e eu fosse o único varão... "

Quantas vezes ele havia cantarolado essa mesma música em 1917! Pelo menos esse sujeito podia ser mais afinado...

Tommy enrijeceu o corpo de repente. Ele só conhecia uma pessoa que desafinava especificamente naquela passagem.

"Meu Deus, é Albert!", pensou Tommy.

Albert rondando a casa do comandante, e ele amarrado da cabeça aos pés sem poder falar!

Mas ele podia gemer.

Tentou... mas não era fácil. Porém valia a pena tentar.

Tommy tentou roncar. Fechou os olhos, caso Apledore viesse vê-lo, para fingir que estava dormindo e roncou furiosamente.

Um ronco curto... outro ronco curto... outro ronco curto... pausa. Um ronco longo... outro ronco longo... outro ronco longo... pausa. Um ronco curto... outro ronco curto...

II

Quando Tuppence deixou Albert, este ficou profundamente perturbado. Com o correr dos anos, ele tinha se tornado uma pessoa mentalmente lenta, mas cujo raciocínio era de uma tenacidade única. Para ele, tudo ia mal.

O governo em relação à guerra, por exemplo.

"Esses alemães...", pensou Albert, com tristeza, quase sem rancor. "Dando vivas a Hitler, marchando feito gansos, invadindo o mundo e criando confusão por toda a parte... precisam ser vencidos, mas até então ninguém tinha conseguido..."

E o que não dizer da sra. Beresford? Uma senhora tão fina, metida em complicações, querendo se complicar ainda mais, sem ninguém para lhe sustar os passos! Que poderia ele fazer contra uma mulher que resolvera enfrentar a quinta-coluna sozinha? Como ela poderia lidar com aquele bando de ingleses sem-vergonha?

E ainda por cima, o único homem que poderia dominá-la estava desaparecido. Albert não atribuía esse desaparecimento aos alemães.

A situação estava feia, e ele precisava agir. Como a maioria dos ingleses, não era dado a grandes elucubrações mentais; quando cismava com uma coisa, seguia em frente sem grandes preocupações. Como um cão fiel, resolveu procurar o patrão sem fazer grandes considerações sobre o assunto.

Sem um prévio planejamento, Albert passou a procurar Tommy da maneira que procuraria a bolsa da esposa ou um par de óculos; isto é, foi para o lugar onde os objetos tinham sido vistos pela última vez.

No caso, a última notícia que se tinha de Tommy era que ele havia jantado com o comandante Haydock e depois voltado para a pensão.

Albert colocou-se no portão da Sans Souci e passou algum tempo olhando esperançoso para a colina. Como não acontesse coisa alguma, dirigiu-se para a casa do comandante Haydock.

Como a maioria dos habitantes de Leahampton, Albert estivera no cinema e ficara impressionado com o filme. Menestrel errante. Que maravilha!

Não podia deixar de se impressionar com o paralelismo da sua própria situação. Albert, como o herói do filme. Larry Cooper era um menestrel à procura do seu senhor, que, como Albert, havia lutado ao lado de seu amo na última guerra. Agora que ele era prisioneiro, ninguém, a não ser o fiel servo, poderia encontrá-lo e levá-lo de volta aos braços da rainha Berengaria.

Albert deu um suspiro, lembrando-se dos acordes maviosos de "Ricardo, oh! Meu rei!" que o trovador cantava de torre em torre, procurando o seu adorado amo.

Pena que ele fosse tão desafinado. Levava anos para aprender uma música... ainda bem que estavam regravando os velhos sucessos...

"Se você fosse a única mulher do mundo e eu fosse o único varão..."

Albert subia a ladeira e descia a encosta. Só grama verde e algumas vacas.

O portão da casa do comandante abriu-se, e um carro passou. Um senhor forte, com uma saca cheia de tacos de golfe, dirigiu o carro em direção à colina.

"Deve ser o comandante Haydock", pensou o mordomo, rumando para o portão. "Que casa bonita! Que jardim bem cuidado! E que vista!"

"Eu diria coisas belas para você...", cantou Albert.

Pela porta dos fundos, um homem saiu com uma enxada e rumou para uma horta. Albert gostava de plantar, e imediatamente ficou interessado.

Passou pelo portão e rodeou a casa. Uma pequena escada levava a uma pequena horta. O homem parecia muito ocupado com a plantação, e Albert ficou a observá-lo por alguns momentos; em seguida, voltou-se para admirar a casa.

"Que beleza!", pensou, pela terceira ou quarta vez. Típico lugar de um comandante naval aposentado. A casa onde seu patrão havia jantado!

Vagarosamente Albert circundou a casa, da mesma forma que havia rodeado o portão da Sans Souci: esperançoso, como se aguardasse das paredes alguma resposta. Enquanto isso, cantarolava a melodia da última guerra.

"... e haveria coisas maravilhosas para fazer..." Como havia desafinado irremediavelmente, resolveu recomeçar a canção.

Que estranhos esses roncos! Será que o comandante criava porcos? E os sons vinham de baixo... do porão... que lugar mais esquisito para se guardar porcos...

Não. Não deviam ser porcos... e sim uma pessoa dormindo. Mas... alguém devia estar descansando no porão... aliás estava um bom dia para descansar... mas que lugar estranho para se dormir! Cantarolando, Albert aproximou-se da grade. Grun... grun... grun... Que ronco esquisito!

Parece um pedido de socorro!

— Ora! — exclamou Albert. — É um pedido de socorro. Um ronco, um ronco, um ronco, pausa, um ronco, um ronco...

Olhou à sua volta, rapidamente. Ajoelhou-se perto da grade e transmitiu uma mensagem.

13

Embora, na hora de deitar, Tuppence estivesse esperançosa em relação aos últimos acontecimentos, na madrugada do dia seguinte sua depressão atingiu o ponto mais alto.

Quando desceu para o café, seu ânimo elevou-se ao ver uma carta com o seu nome, na bandeja de prata.

Não era uma carta de Douglas, Raymond ou Cyril, ou qualquer outra camuflagem que pontualmente chegava à pensão; ela empurrou de lado um cartão-postal bem colorido do Bonzo e abriu a carta.

Querida Patricia

Tia Gracie piorou muito hoje.

Os médicos não dizem coisa alguma, mas acredito que ela esteja morrendo. Se quiser vê-la antes do fim, acho bom vir correndo para cá. Se tomar o trem das 10h20, um amigo irá apanhá-la de carro. Contando vê-la breve, apesar da triste notícia.

Sua Penelope Playne.

Tuppence mal pôde conter seu júbilo. Sempre podia contar com Penelope Playne.

Com certa dificuldade ela conseguiu disfarçar a alegria, assumiu um ar compungido, suspirou e relatou o conteúdo da carta à sra. O'Rourke e à sra. Minton, descrevendo com bastante dramaticidade a coragem, o espírito indômito, a indiferença ao perigo da querida tia Gracie. A sra. Minton pediu detalhes sobre a doença da tia para poder fazer extensas comparações com o sofrimento e a morte de sua querida prima Selena. Tuppence oscilou entre a gota e a diabete, confundiu-se um pouco e acabou deixando a pobre tia com uma complicação nos rins.

A sra. O'Rourke desejou saber se Tuppence herdaria algo com a morte da tia, mas parece que Cyril era o afilhado e o sobrinho--neto favorito da velha, e que seria portanto o único beneficiado.

Depois do café, Tuppence telefonou para o alfaiate e cancelou a visita, e em seguida explicou à sra. Perenna que precisaria se ausentar por alguns dias.

A sra. Perenna exprimiu os sentimentos convencionais de sempre. Parecia cansada e preocupada com outros problemas.

— Ainda estamos sem notícias do sr. Meadowes — disse ela. — É muito estranho, não acha?

— Ele deve ter sofrido um acidente — disse a sra. Blenkensop. — Desde que ele desapareceu que venho dizendo isso.

— Mas certamente nos teriam notificado.

— Então, segundo a senhora, o que aconteceu? — perguntou Tuppence.

— Não tenho a menor ideia — disse a sra. Perenna. — Concordo com a senhora que ele não poderia desaparecer sem nos dar ao menos uma explicação. Por essa altura inclusive já teria tempo de nos mandar qualquer notícia.

— Creio ter sido o major Bletchley que sugeriu que Meadowes talvez tivesse perdido a memória. Acredito que numa época como essa que estamos vivendo seja até bastante possível.

A sra. Perenna concordou em silêncio, apertando os lábios numa expressão de dúvida.

— Sabe de uma coisa, sra. Blenkensop? — disse ela, de repente. — Nós não sabemos quase nada a respeito do sr. Meadowes.

— Como assim? — perguntou Tuppence, rispidamente.

— Por favor, não me olhe desse jeito — pediu a sra. Perenna. — Eu pelo menos não acredito...

— Não acredita em quê?

— No que andam espalhando por aí.

— Mas o que é? Não ouvi coisa alguma.

— Talvez as pessoas não falem tão abertamente com a senhora. Creio que foi o sr. Cayley quem falou primeiro, embora eu o considere uma pessoa suspeita para falar.

Tuppence procurou controlar sua impaciência.

— Conte logo — disse.

— Andam murmurando que o sr. Meadowes era um espião estrangeiro, um desses quintas-colunas.

Tuppence, imbuindo-se do seu papel de sra. Blenkensop, gritou indignada:

— Nunca ouvi sugestão mais absurda!

— Eu também não, embora seja verdade que o sr. Meadowes vivia grudado com aquele rapaz alemão, sempre perguntando alguma coisa sobre a fábrica etc. De forma que as pessoas acabaram concluindo que eles trabalhavam juntos.

— A senhora não tem dúvida sobre Carl, tem?

Um pequeno espasmo distorceu a expressão da sra. Perenna.

— Antes não fosse verdade!

— Pobre Sheila! — comentou a sra. Blenkensop, gentilmente.

Os olhos da sra. Perenna brilharam.

— Está inconsolável, coitada. Por que foi se apaixonar logo por ele?

— A gente não se apaixona por quem quer — disse Tuppence, sacudindo a cabeça.

— É mesmo — concordou a sra. Perenna, num tom amargo. — A gente leva sempre a pior... e acaba com a dor, a amargura, a poeira e as cinzas. Estou cansada de crueldade... da deslealdade do mundo. Gostaria de acabar com tudo isso e recomeçar pela terra sem essas regras, essas leis e a tirania de uma nação sobre a outra.

Foi interrompida por uma tosse rouca e profunda. Era a sra. O'Rourke, parada na porta, ocupando todo o umbral com seu volume.

— Desculpem, estou interrompendo?

Como se tivesse sido passada uma esponja numa bandeja, assim o rosto da sra. Perenna voltou à expressão antiga de dona de pensão, preocupada com seus hóspedes.

— De forma alguma, sra. O'Rourke. Estávamos falando sobre o sr. Meadowes. Impressionante como a polícia não conseguiu descobrir rastro algum dele.

— Ah, a polícia! — murmurou a sra. O'Rourke com desprezo. — Para que serve a polícia? Para nada, a não ser para encontrar carros roubados e multar as pessoas que esqueceram de tirar licença para vacinar seus cachorros!

— O que a senhora acha? — perguntou Tuppence.

— Já ouviu o que andam dizendo sobre ele? — perguntou a sra. O'Rourke.

— Que é fascista, agente inimigo — respondeu Tuppence, friamente.

— Pode ser verdade — disse a sra. O'Rourke —, pois aquele homem me intrigou desde o momento em que pôs os pés nesta casa. Observei-o bastante — disse ela, sorrindo para Tuppence, e como sempre o sorriso da sra. O'Rourke possuía algo de apavorante. — Ele não me parecia um homem aposentado que não queria mais trabalhar. Seria capaz de jurar que ele veio para cá com alguma outra intenção.

— E quando a polícia começou a procurá-lo, ele desapareceu? — perguntou Tuppence.

— Talvez — respondeu a sra. O'Rourke. — O que a senhora acha? — perguntou ela, virando-se para a sra. Perenna.

— Não sei — respondeu a dona da casa, suspirando. — Isso tudo é tão desagradável. Todo o mundo cochichando pelos cantos...

— Certamente a essa altura os outros hóspedes que estão no terraço já concluíram que o pobre Meadowes estava pronto para bombardear a casa e entregar a planta do porão ao inimigo.

— A senhora ainda não nos disse o que pensa — insistiu Tuppence.

A sra. O'Rourke sorriu, o mesmo sorriso feroz de sempre.

— Na minha opinião, ele está escondido, a salvo, em algum lugar.

"Se ela soubesse não diria isso", pensou Tuppence, voltando para o quarto, para arrumar as malas. Betty Sprot veio correndo do quarto do sr. Cayley, rindo, certamente por ter feito alguma peraltice.

— O que você andou fazendo? — perguntou Tuppence.

Betty riu.

— Onde você esteve? — perguntou Tuppence, suspendendo e abaixando a menina no ar.

Nesse instante surgiu a sra. Sprot para buscar a filha.

— Esconde... esconde? — perguntou Betty.

— Não é hora, meu bem — disse a sra. Sprot, levando a menina embora.

Tuppence voltou para o quarto e enfiou um chapéu na cabeça. "Que chatura ter que usar chapéu", pensou, mas como sra. Blenkensop não tinha outro jeito.

Alguém havia mexido nos seus chapéus, reparou Tuppence. Será que alguém andou revistando o quarto? Que importa! Ela não guardava nada de comprometedor consigo.

Largou a carta de Penelope Playne na mesa de cabeceira e saiu.

Eram dez horas quando bateu o portão. Tinha tempo de sobra. Olhou para o céu e pisou numa poça de água e cal, mas não prestou maior atenção. Estava feliz porque finalmente iria chegar ao fio da meada.

II

Yarrow era uma pequena estação do interior; como previsto, um carro aguardava Tuppence. Um simpático motorista uniformizado bateu com a mão no quepe num gesto bastante forçado. Tuppence examinou os pneus com um ar incrédulo.

— Não estão um pouco vazios?

— Nós vamos aqui perto, madame.

Ela entrou no carro e rumaram para as montanhas, não para a cidade. No alto de uma colina pegaram um atalho. Das sombras das árvores emergiu um homem que veio em direção ao carro.

Tuppence desceu e cumprimentou Anthony Mardson.

— Beresford está bem — disse ele. — Foi encontrado ontem. Caiu prisioneiro dos nossos inimigos, mas precisamos mantê-lo lá por mais umas 12 horas. Devem estar aguardando um barco, nesse período; assim que apanharem Tommy serão capturados por nós. Beresford já sabe disso.

Anthony olhou para Tuppence ansiosamente.

— A senhora compreende, não é?

— Claro — respondeu Tuppence, examinando uma estranha armação de lona, parcialmente escondida entre as árvores.

— Não vai acontecer nada com ele — insistiu Tony.

— Disso eu sei — exclamou Tuppence, impaciente. — Não precisa falar comigo como se eu fosse uma criança. Nós dois estamos acostumados a enfrentar o perigo. O que é aquilo?

— Bem... — O rapaz parecia hesitar. — É o seguinte... me enviaram para cá com uma proposta para lhe fazer. Mas eu francamente não gosto desse encargo.

— Por quê? — perguntou Tuppence friamente.

— Bem, a senhora é mãe de Deborah. E se ela vier a saber que...

— Que eu morri por sua culpa? Bom, meu conselho é o seguinte: não diga a ela. Não conheço ditado mais certo do que aquele que diz que as explicações são erros...

Ela sorriu para o rapaz.

— Sei o que está sentindo — disse Tuppence. — Vocês acham que é privilégio dos jovens se expor ao perigo e que nós velhos devemos ser protegidos. Bobagem! Os velhos não têm tanto a perder! Além do mais, pare de olhar para mim como se eu fosse a Santíssima Trindade e diga logo o que tenho que fazer.

— Acho a senhora fantástica — disse Tony, entusiasmado.

— Deixe os elogios para depois — interrompeu Tuppence. — Eu já vivo me gabando sem precisar da ajuda dos outros. O que querem que eu faça?

Tony mostrou a lona.

— Aquilo ali são os restos de um paraquedas.

— Ah!

— Uma paraquedista foi capturada pelo pessoal daqui, que é muito esperto.

— Hum!

— Uma mulher vestida de enfermeira.

— Devia ser uma freira — aparteou Tuppence. — Estou cansada de ouvir histórias de espiãs vestidas de freiras.

— Bem, ela não era uma freira, nem um homem vestido de mulher. Era uma senhora de estatura média, meia-idade, magra, de cabelos escuros.

Em resumo, uma mulher parecida comigo.

— Sim.

— E daí?

— Agora depende da senhora — disse Mardson, lentamente.

— Já entendi. Aonde devo ir e o que devo fazer?

— Meus parabéns pelo sangue-frio, sra. Beresford.

Ela sorriu, acanhada.

— As instruções são vagas — prosseguiu o rapaz. — No bolso do uniforme da mulher foi encontrado o seguinte bilhete, em alemão: "Caminhe até Leatherbarrow, leste, perto da cruz de pedra. Estrada São Asalf, 14, dr. Binion."

Tuppence olhou para cima. Perto do alto da colina havia uma cruz de pedra.

— É isso mesmo — disse Tony. — Tiraram os cartazes, mas Leatherbarrow é perto daqui, e pegando o lado leste da estrada a senhora deverá chegar ao seu destino.

— Qual é a distância?

— Uns dez quilômetros.

Tuppence fez uma careta.

— Bom exercício para antes do almoço. Só espero que o dr. Binion me dê de comer quando o encontrar.

— A senhora fala alemão?

— Arranho! Explicarei que minhas instruções em Berlim foram de falar só inglês.

— É meio arriscado.

— Não acho. Quem é que vai pensar numa substituição? Ou todo o mundo já sabe que desceu uma paraquedista por aqui?

— Os dois patrulheiros que a encontraram estão confinados no quartel, para evitar que espalhem a história.

— Mas alguém pode ter visto o paraquedas!

— Minha senhora, diariamente centenas de pessoas veem um ou dois ou três paraquedas descendo por todos os condados ingleses!

— Bem, lá isso é verdade. Então vamos!

Tony pegou-a pelo braço.

— Temos uma policial que é perita em maquilagem. Venha comigo.

No meio das árvores encontraram uma barraca. A policial examinou Tuppence e sorriu, num gesto de aprovação. Acomodou a modelo num caixote e começou a trabalhar.

— Acho que ficou ótimo — disse a policial, dando os últimos retoques, mais ou menos uma hora depois. — Que acha, senhor?

— Muito bom — disse Tony.

— Tuppence estendeu a mão para apanhar um espelho. Quando viu sua imagem, deu um grito de surpresa: suas sobrancelhas estavam completamente diferentes, alterando a expressão dos olhos. Minúsculas partículas de esparadrapo incolor repuxavam a pele, disfarçando as rugas e modificando o contorno do rosto. O nariz tinha sido modificado com um pouco de massa, dando ao perfil de Tuppence um ar de ave de rapina. Linhas profundas endureciam a boca e envelheciam o rosto.

— Está maravilhosa — comentou Tony, tocando de leve o nariz de Tuppence.

— Tome cuidado — preveniu a maquiladora, apanhando dois pedaços de borracha. — Consegue falar com essas borrachas na boca?

— Creio que sim — murmurou Tuppence, colocando-as dentro das bochechas e praticando com elas. — Até que não é tão desconfortável!

Tony retirou-se da barraca para que Tuppence pudesse vestir-se de enfermeira. A roupa ficou quase perfeita, somente um pouco folgada nos ombros. O boné azul completou a nova personalidade. Tuppence, porém, recusou trocar os sapatos de enfermeira, de bico quadrado.

— Se vou ter que andar dez quilômetros, é melhor que o faça com meus próprios sapatos.

Todos concordaram com a lógica de Tuppence; por sorte os sapatos eram azul-marinho, de maneira que os destoaram do resto do uniforme. Em seguida ela examinou curiosamente o conteúdo da maleta azul. Algum dinheiro, pó de arroz e uma carteira de identidade com o nome de Freda Elton, residente em Sheffield. Tuppence pegou da sua bolsa o batom e colocou-o na maleta.

— Sinto-me mal em deixá-la fazer isso — disse Tony, virando o rosto.

— Entendo perfeitamente.

— Mas é tão importante que saibamos quando e onde vai ser o ataque...

Tuppence deu uma palmadinha no ombro do rapaz.

— Não se preocupe, meu filho. Por incrível que pareça, estou me divertindo.

— A senhora é mesmo um número! — exclamou Tony.

III

Bastante cansada, Tuppence verificou que o dr. Binion não era um médico, e sim um dentista. Com o rabo do olho, notou que Tony estava parado na frente de um carro, numa rua transversal.

Ficou decidido, como medida de segurança, que ela deveria chegar a pé para evitar suspeitas. Dois aviões estrangeiros circundaram a zona em voo rasante e certamente viram a enfermeira andando pela estrada.

Tony e a policial deram a volta de carro, pela direção oposta, até chegarem a Leatherbarrow.

Tudo estava pronto.

As portas da arena estavam abertas, pensou Tuppence. "Aí vai mais uma mártir cristã para a cova dos leões. Ninguém poderá dizer que levei uma vida pacata!"

Ela atravessou a rua e tocou a campainha da porta. Naquele instante, pensou em Deborah e se perguntou se sua filha estaria apaixonada por Tony Mardson.

Uma mulher de idade, com aparência de camponesa estrangeira, abriu a porta.

— Dr. Binion? — disse Tuppence.

A mulher olhou-a de alto a baixo.

— A senhora é a enfermeira Elton?

— Sou.

— Suba para a sala de operações do doutor.

Ela deu passagem e fechou a porta, deixando Tuppence parada num pequeno vestíbulo; subiu as escadas e abriu uma porta no andar superior.

— Espere aqui, o doutor já vem — disse, saindo e fechando a porta.

Um gabinete dentário... de segunda categoria.

Tuppence olhou para a cadeira de dentista e pensou quantas vezes sentira medo por outras razões!

A porta se abriria em breve e o "dr. Binion" entraria. Seria um estranho? Um conhecido? E se fosse a pessoa de quem ela desconfiava firmemente já há tanto tempo...

A porta abriu-se, e um homem entrou. Era uma pessoa que Tuppence jamais pensaria encontrar naquele lugar.

Era o comandante Haydock.

14

Um turbilhão de associações passou pela mente de Tuppence, relacionando o desaparecimento de Tommy ao comandante Haydock; ela, porém, afastou esses pensamentos, concentrando sua atenção nos problemas presentes.

Será que o comandante a reconheceria? Eis a grande questão.

Ela estava preparada para não demonstrar surpresa diante de quem quer que aparecesse; portanto, sentiu-se segura por ter conseguido manter a calma diante do primeiro choque.

Levantou-se e postou-se respeitosamente a certa distância, conforme os ditames da mulher alemã, quando na presença de um poderoso deus ariano.

— Finalmente chegou — disse o comandante, em inglês.

— Sim. Enfermeira Elton — disse Tuppence, apresentando as credenciais.

Haydock riu da piada.

— Enfermeira Elton! Excelente — disse ele, olhando para Tuppence com um ar de aprovação. — Está perfeita — acrescentou, satisfeito.

Tuppence inclinou a cabeça, aguardando os acontecimentos.

— Já sabe o que deve fazer, eu suponho — disse Haydock. — Sente-se.

Ela obedeceu.

— Devo receber instruções detalhadas do senhor.

— Muito apropriado — disse o comandante, com um leve tom de zombaria. — Já sabe o dia? — perguntou, em seguida.

Tuppence não titubeou.

— Dia 4 — respondeu ela.

Haydock espantou-se e franziu o cenho.

— Até isso lhe contaram!

— Diga-me o que devo fazer — disse Tuppence.

— No seu devido tempo, minha cara.

Seguiu-se uma pequena pausa.

— Já ouviu falar na Sans Souci?

— Não — respondeu Tuppence.

— Não?

— Não — insistiu ela.

"Vamos ver como ele vai sair dessa", pensou Tuppence.

Um estranho sorriso desenhou-se nos lábios de Haydock.

— Com que então nunca ouviu falar da Sans Souci? Estranho, porque tenho a impressão de que a senhora estava morando lá pelo menos há uns dois meses...

Um silêncio mortal.

— Então, sra. Blenkensop? — perguntou o comandante.

— Não sei do que está falando, dr. Binion. Acabo de descer de paraquedas!

Novamente Haydock sorriu desagradavelmente.

— Umas tiras de lona e alguns fios podem mesmo parecer um paraquedas. Além do mais, minha cara, não sou o dr. Binion; esse é o nome do meu dentista, que gentilmente me cede a sala de anestesia de vez em quando.

— É mesmo?

— É, sra. Blenkensop. Ou prefere ser chamada pelo seu verdadeiro nome, sra. Beresford?

Outro silêncio mortal. Tuppence deu um longo suspiro, enquanto Haydock sacudia a cabeça.

— A brincadeira acabou. A mosca caiu na teia.

Ouviu-se um clique, e um objeto azul metálico brilhou na mão de Haydock.

— Não aconselho gritar ou tentar atrair a vizinhança. Eu a mataria imediatamente. Além do mais, é muito natural serem ouvidos gritos vindos de um consultório dentário.

— O senhor parece ter previsto tudo. Já lhe ocorreu pensar que talvez eu tenha amigos por perto?

— Ainda acredita no rapazola de olhos azuis? Os olhos dele na realidade são castanho-escuros, e, sinto desapontá-la, mas Mardson é um dos nossos maiores colaboradores. Como disse há pouco, alguns metros de fazenda são capazes de criar um efeito e tanto. A senhora caiu direitinho na história da paraquedista.

— Não vejo por que se deu a tanto trabalho!

— Não vê? Não queremos que seja encontrada por seus amigos. Caso tivesse sido seguida, a pista levaria a Yarrow e a um carro preto, não a uma enfermeira completamente diferente, que veio a pé até Leatherbarrow.

— Muito bem elaborado seu plano — comentou Tuppence.

— Admiro seu sangue-frio; realmente sinto ter que coagi-la a contar o que descobriu na Sans Souci.

Tuppence não disse nada.

— Acho melhor falar. Não quero usar a cadeira de dentista e o instrumental.

Tuppence olhou para Haydock com desprezo. Este recostou-se na poltrona.

— Creio que a senhora seja bastante corajosa, mas e a outra metade, também o será?

— Como assim?

— Refiro-me a Thomas Beresford, seu marido, que ultimamente, como pensionista da Sans Souci, usava o nome de Meadowes, e atualmente está confinado no porão da minha casa.

— Não acredito — disse Tuppence.

— Por causa da carta de Penny Playne? Não percebeu ainda que foi uma armadilha de Tony Mardson? A senhora se perdeu quando revelou o código secreto...

— Então, Tommy... Tommy? — balbuciou ela, nervosa.

— Tommy está onde sempre esteve — disse Haydock —, sob meu poder. Agora tudo depende da senhora. Se responder minhas perguntas satisfatoriamente, seu marido terá uma chance; se não, teremos que jogá-lo no mar.

Tuppence calou-se, pensando na ameaça.

— O que quer saber? — perguntou por fim.

— Quero saber quem a empregou, como se comunica com essa pessoa, o que já transmitiu até agora e o que sabe exatamente.

Tuppence sacudiu os ombros.

— Eu posso lhe contar uma porção de mentiras.

— Não pode, porque vou fazer uma verificação imediata — disse Haydock, aproximando a cadeira. — Minha cara, sei perfeitamente como se sente e pode crer que admiro a senhora e o seu marido pela coragem e diligência com que trabalham. Pessoas como vocês serão necessárias no Estado Novo... assim que o atual governo for destituído. Queremos aproveitar alguns inimigos e transformá-los em aliados... mas só os que valem realmente a pena. Se eu tiver que mandar matar seu marido, o farei, pois é o meu dever! Mas sentirei, porque ele é valoroso, inteligente e destemido. Gostaria que a senhora atentasse para um fato do qual a maioria dos ingleses ainda não tomou conhecimento. Nosso líder não quer dominar o país como um governante, mas quer que os ingleses, os melhores ingleses, controlem o governo. Os ingleses inteligentes, de boa raça. O Admirável Mundo Novo de que Shakespeare falou.

"Queremos exterminar os embaraços e o suborno, a inépcia e a corrupção. Nesse novo mundo, queremos gente como a senhora, seu marido, corajosos e valentes, ontem inimigos, hoje amigos! A senhora se espantaria se soubesse quantos aliados temos neste país, e no resto do mundo, que abraçam nossa causa e nossa diretriz.

"Está em nosso poder criar uma nova Europa... de paz e de progresso. Pense sobre isso e verá como estou com a razão."

A voz do comandante era hipnótica e carismática. Olhando-o de frente, parecia o típico marinheiro inglês. Tuppence olhou para ele, procurando uma frase, infantil e malcriada ao mesmo tempo, que respondesse a toda a baboseira nazista que fora obrigada a ouvir.

— Lobo na pele de um cordeiro...

II

O efeito foi tão imediato que ela se assustou. Haydock mudou de cor, empurrou a cadeira e transformou-se num furioso militar prussiano.

Gritou algumas injúrias em alemão.

— Sua estúpida! — disse, em inglês. — Não percebeu que com essa frase selou sua sentença de morte? A sua e a do seu marido?

Levantando a voz, ele gritou:

— Anna!

A mulher que havia aberto a porta para Tuppence entrou. Haydock entregou-lhe o revólver.

— Tome conta dela e atire se for necessário.

O comandante saiu, batendo a porta atrás de si. Tuppence olhou para a mulher com um ar de súplica.

— A senhora teria coragem de me matar?

— Não tente me ludibriar — disse a mulher. — Na última guerra mataram meu filho Otto. Eu tinha 38 anos naquela época; hoje estou com 62, mas não esqueci.

Tuppence olhou para a mulher e lembrou-se de Vanda Polonska. As duas tinham a mesma intensidade, a mesma assustadora ferocidade. Um enorme sentimento maternal! Da mesma forma deveriam se sentir milhares de mães inglesas — e Tuppence percebeu que não poderia argumentar com uma mãe que foi privada de sua cria.

Um pensamento veio-lhe à mente. Uma lembrança! Algo que ela sempre soubera, mas não conseguira formular. Alguma coisa ligada a Salomão.

A porta abriu-se, e Haydock entrou, furioso.

— Onde está? — disse ele, berrando. — Onde está? Onde você escondeu?

Tuppence olhou para ele espantada, sem compreender. Não havia apanhado ou escondido coisa alguma.

— Saia — gritou Haydock para Anna.

A mulher devolveu a pistola e retirou-se.

Haydock atirou-se numa cadeira e tentou recuperar a calma.

— A senhora não poderá escapar... está em minhas mãos, e eu tenho maneiras de fazê-la falar... maneiras terríveis. No fim acabará confessando. Diga, o que fez com aquilo?

Tuppence percebeu que teria, pelo menos, uma possibilidade de negociar com Haydock. Se ao menos soubesse o que ele estava procurando...

— Como sabe que está comigo? — perguntou ela, cuidadosamente.

— Pelo que nos contou, sua estúpida! Sabemos que não está em seu poder porque trocou de roupa.

— E se eu despachei pelo correio? — perguntou Tuppence.

— Não seja tola. Tudo o que a senhora enviou pelo correio, desde ontem, foi examinado. Sabemos que a senhora não despachou. Só há uma resposta: a senhora o escondeu na Sans Souci. Tem três minutos para responder — concluiu o comandante, colocando o revólver em cima da mesa. — Três minutos, sra. Beresford.

Tuppence ficou parada, impassível, ouvindo o relógio da lareira bater, compassado.

Num repente ela percebeu tudo... viu quem era o centro e o pivô de toda a organização.

— Só tem dez segundos — anunciou Haydock, desagradavelmente.

Como num pesadelo, ela viu o cano do revólver ser apontado em sua direção.

1, 2, 3, 4, 5...

Quando ele chegou ao número oito, ouviu-se um tiro, e Haydock caiu da cadeira com uma expressão de espanto no rosto: estava tão preocupado em torturar sua vítima que não percebeu a porta entreabrindo-se lentamente.

Tuppence deu um pulo. Passou pelos soldados no corredor e agarrou o braço de um homem.

— Sr. Grant!

— Sim. Não se preocupe, minha cara. Portou-se muito bem.

Tuppence fez um gesto de impaciência.

— Rápido, não temos tempo a perder. Está de carro?

— Sim — respondeu ele, espantado.

— Precisamos chegar à Sans Souci rapidamente. Ah! Se ao menos não chegarmos atrasados! Só espero que eles não telefonem para cá....

Tomaram o carro e voaram pela estrada. O ponteiro do velocímetro disparou. O sr. Grant não fez perguntas, limitando-se a correr, enquanto Tuppence observava o velocímetro apreensiva. Grant havia chegado à velocidade máxima.

— Tommy? — perguntou Tuppence.

— Está bem, foi solto há meia hora.

Por fim, chegaram a Leahampton, contornaram a estrada, subiram a colina e pararam na porta da pensão.

Tuppence saltou, seguida pelo sr. Grant. Como sempre a porta da frente estava aberta. Ninguém na sala. Tuppence correu pelas escadas. Quando passou pelo seu quarto notou a confusão de gavetas e portas dos armários abertas, mas não parou. Dirigiu-se para o quarto do sr. e da sra Cayley.

O casal não estava. O quarto fedia a remédio. Tuppence correu para a cama e levantou as cobertas, jogando-as no chão, e começou a tatear o colchão, até encontrar uns livrinhos de histórias infantis.

— Aqui está. Está tudo aqui!

— O quê?

Os dois se voltaram e encontraram a sra. Sprot parada na porta.

— E agora deixe-me apresentá-lo a M. Sim, a sra. Sprot. Pena não ter percebido antes.

O anticlímax naturalmente foi dado, em seguida, com a chegada da sra. Cayley.

— Meu Deus — disse a pobre senhora, vendo a cama totalmente desarrumada. — O que o sr. Cayley vai dizer disso?

15

— Eu devia ter percebido logo — disse Tuppence, enquanto bebia um cálice de brandy para acalmar os nervos.

Estava sentada entre Tommy e o sr. Grant; a sua frente, o bom Albert bebia feliz um copo de cerveja.

— Conte tudo — pediu Tommy.

— Primeiro você — disse Tuppence.

— Não tenho muito o que contar — disse Tommy. — Por acaso, descobri a sala secreta do rádio transmissor. Pensei que tivesse conseguido ludibriar Haydock, mas, como vocês viram...

— Ele telefonou imediatamente para a sra. Sprot, que foi esperar por você na entrada com um martelo. Lembro-me de ela ter se ausentado da mesa de bridge por uns três minutos. Quando voltou, notei que ela estava ofegante... mas não desconfiei de nada.

— Depois disso temos que dar os parabéns a Albert — disse Tommy. — Seguiu a pista como um cão fiel e ouviu meu código Morse de ronco. Procurou o sr. Grant, e os dois voltaram para me ver na mesma noite. Mais código, e fui informado de que seria salvo quando eles capturassem o inimigo.

— Quando Haydock saiu de manhã, ocupamos a casa. Assim que o barco que vinha buscar Tommy chegou, capturamos os tripulantes inimigos.

— E agora, Tuppence, conte sua história — disse Tommy.

— Não sei como consegui ser tão tola. Suspeitei de todos, menos da sra. Sprot. Tive uma sensação de ameaça iminente, como se estivesse correndo um perigo de morte, quando ouvi a conversa pela extensão telefônica sobre o dia 4. Achei que devia ser a sra. Perenna ou a sra. O'Rourke; no entanto, era a sra. Sprot.

"Tateei pelo escuro, como Tommy sabe, até ele próprio desaparecer. Fiz um plano com Albert, mas aí surgiu Tony Mardson, um sujeito que me pareceu honesto. Enquanto conversava com ele, concluí duas coisas: 1) nunca o tinha visto no meu apartamento, nem o conhecia pessoalmente; e 2) ele dizia que Tommy estava na Escócia, embora soubesse do meu trabalho aqui. Ora, isso seria impossível. Se ele tivesse sido informado pelo Serviço Secreto, só poderia saber do paradeiro de Tommy, e não do meu, uma vez que eu não tinha sido contratada oficialmente. Achei esses dois detalhes muito estranhos.

"O sr. Grant me disse que os quintas-colunas estavam espalhados por toda a parte. Por que não estariam também no trabalho de Deborah? Eu desconfiei, mas não tinha certeza, por isso preparei uma armadilha. Contei-lhe que Tommy e eu tínhamos um código particular de comunicação secreta. Inventei uma história sobre Penny Playne... etc. Como esperava, ele mordeu a isca! Recebi a carta no dia seguinte, e aí tive certeza de que era um agente inimigo. Já estava combinada com Albert; telefonei para o 'alfaiate' para informar que não poderia provar o casaco..."

— Nem pestanejei — interveio Albert. — Peguei o caminhão da padaria e rumei para a porta da pensão...

— Aí — prosseguiu Tuppence, retomando a narrativa —, fui para a estação sempre seguida por Albert, que ouviu quando eu comprei uma passagem de trem para Yarrow. Depois ficou um pouco mais complicado...

— Os cães seguiram o cheiro — disse Grant. — Desde a estação até a colina, a cruz de pedra de Yarrow. O inimigo não poderia desconfiar, uma vez que eles mesmos tinham se certificado de que a senhora não estava sendo seguida.

— Mesmo assim, fiquei nervoso quando a senhora entrou naquela casa — disse Albert. — Ficamos na janela dos fundos e agarramos a estrangeira quando ela desceu as escadas. Chegamos na hora H lá em cima!

— Eu sabia que viriam — disse Tuppence. — Por isso tentei ganhar o máximo de tempo possível. Ia inventar um serviço secreto, se não percebesse que a porta estava se abrindo. De repente tive aquela revelação...

— Como?

— Lobo em pele de cordeiro — disse Tuppence. — Quando eu disse isso, ele ficou lívido de raiva, não porque fosse um desaforo, mas percebi logo que essas palavras adquiriram outro significado. Lembrei-me também da expressão no rosto da mulher... Anna... parecida com aquela polonesa, associei-a a Salomão, e tudo de repente se encaixou.

Tommy deu um suspiro de impaciência.

— Se você continuar a falar sem dizer coisa alguma, eu não respondo por mim! O que Salomão tem a ver com essa história?

— Não se lembra da história das duas mulheres que foram procurar Salomão com um bebê, que ambas diziam lhe pertencer, e o rei decidiu cortá-lo ao meio para satisfazer as duas? A falsa mãe concordou, mas a verdadeira preferiu entregar a criança, pois não queria o filho morto. Na noite em que a sra. Sprot matou aquela mulher, todos disseram que tinha sido um milagre, pois por pouco não matara também a criança. Naquela hora eu deveria ter percebido... Se a menina fosse realmente filha dela, ela não se arriscaria a atirar...

— Como?

— A mulher, é claro, devia ser a mãe verdadeira de Betty — disse Tuppence, numa voz trêmula. — A pobre deve ter vindo para cá refugiada e teve que deixar a sra. Sprot adotar a criança.

— Mas para que a sra. Sprot precisaria de uma criança?

— Camuflagem. Um perfeito disfarce. Não se concebe uma espiã arrastando uma criança para todo o lado. Por isso não desconfiei dela. Simplesmente por causa da criança... A mãe verdadeira, porém, tinha adoração pela filha. Quando descobriu o endereço, veio para cá, aguardando uma chance de reaver a filha.

"Assim que a criança desapareceu, a sra. Sprot ficou louca, pois não queria se meter com a polícia. Escreveu a mensagem, fingiu que tinha encontrado aquele bilhete no quarto e pediu ajuda ao comandante Haydock. Quando descobrimos a pobre mulher na estrada, a sra. Sprot não pôde se arriscar, teve que matar a mulher no ato; é claro que ela é uma excelente atiradora. Ela merece ir para a cadeia pela forma cruel como assassinou aquela pobre mãe."

Tuppence fez uma pequena pausa, antes de prosseguir.

— Outra pista que eu deveria ter percebido era a semelhança física de Betty com Vanda Polonska. A mulher era a cara de Betty. Outra pista foi a brincadeira da menina com os meus cadarços: quantas vezes a pequena Betty não devia ter visto a mãe adotiva embebendo os cordões na tinta invisível? Assim que a sra. Sprot viu o que a menina tinha feito no meu quarto, incriminou Carl von Deinim.

— Que bom que ele não é culpado — disse Tommy. — Eu gostava dele.

— Ele não foi fuzilado, foi? — perguntou Tuppence.

O sr. Grant sacudiu a cabeça.

— Não, ele está muito bem. Aliás, tenho uma surpresa para os senhores a esse respeito.

— Que bom! — disse Tuppence. — Estou feliz por causa de Sheila. E afinal estávamos enganados a respeito da sra. Perenna.

— Estava envolvida em algumas atividades do Exército Republicano Irlandês, nada mais — disse Grant.

— Eu também suspeitei da sra. O'Rourke e dos Cayley.

— E eu de Bletchley — disse Tommy. — E todo o tempo era aquela mosca-morta... disfarçada de mãe do ano!

— Não era bem uma mosca-morta — disse o sr. Grant —, e sim uma excelente atriz e uma perigosa espiã. Infelizmente é uma conterrânea...

— Mais uma razão para detestá-la. Não tem nem a desculpa de estar trabalhando para o próprio país. Descobriu o que estava procurando?

— Sim — disse Grant. — Estava no meio do livro para crianças.

— Aqueles que Betty chamava de feios! — exclamou Tuppence.

— Continham em detalhes a posição naval de nossas forças — explicou Grant.

— E na história do lobo em pele de cordeiro?

— Quando aplicamos o líquido sobre a tinta invisível, encontramos escrita uma lista completa das altas personalidades inglesas que dariam apoio integral caso houvesse uma invasão na Inglaterra. Dois prefeitos, um comandante da Aeronáutica, dois generais, o chefe do Serviço de Armamentos, um ministro de Estado, alguns delegados de polícia e vários comandantes da Liga de Defesa. Isso sem contar com vários membros do Serviço Secreto...

— Incrível! — exclamou Tuppence, olhando para Tommy.

— Vocês dois não conhecem a força da propaganda nazista. Apela para a ganância por poder de cada indivíduo. Essas pessoas estavam prontas para trair o país, não por dinheiro, mas pelo orgulho paranoico de, servindo o país, ocuparem postos de importância. É o que foi feito em outros países. O nazismo é o culto de Lúcifer... o orgulho e o desejo de aparecer e brilhar!

Grant olhou para Tuppence e Tommy.

— Com essa lista, percebem quão importantes eles seriam no caso de uma invasão, dando ordens confusas e atrapalhando as operações militares, criando o caos até que o inimigo dominasse tudo?

— E agora? — perguntou Tuppence.

O sr. Grant sorriu.

— Agora, deixe que venham. Estamos prontos para recebê-los!

16

— Minha querida — disse Deborah. — Sabe que estava fazendo mau juízo de você?

— É mesmo? E por quê? — perguntou Tuppence, olhando carinhosamente para a filha.

— Quando você foi atrás do papai, lá para a Escócia, e mentiu dizendo que estava com a tia Gracie. Pensei que você tivesse arranjado um amante!

— Deb! Não diga!

— Bem, não foi tão grave assim. Primeiro pensei na sua idade, e como você e papai vivem tão bem... aliás, foi um cretino chamado Tony Mardson que pôs essa ideia na minha cabeça. Sabe que acabou sendo preso como quinta-coluna? Na verdade, ele tinha umas ideias bem estranhas... vivia dizendo que as coisas não iam mudar muito caso Hitler ganhasse a guerra!

— Você gostava dele? — perguntou Tuppence, ansiosa.

— Não... sempre o achei um chato. Com licença, vou dançar.

Ela levantou-se para atender um rapaz louro, que a convidara para dançar. Tuppence seguiu-os com os olhos, por alguns momentos, antes de voltar a atenção para um jovem aviador que dançava com uma linda jovem morena.

— Acho que nossos filhos são muito bonitos — disse Tuppence, orgulhosa.

— Olhe quem está aí — disse Tommy, levantando-se para cumprimentar Sheila Perenna, que estava muito bonita, vestida de verde esmeralda, o que ressaltava sua beleza morena. Apesar de estar linda, não parecia de bom humor.

— Vim, conforme prometi — disse Sheila, cumprimentando o casal Beresford. — Ainda não entendi por que me convidaram!

— Porque gostamos de você — disse Tommy.

— É mesmo? Não sei por quê, sempre os tratei tão mal. Mas... em todo o caso... muito obrigada...

— Precisamos arranjar um par para você — disse Tuppence.

— Não quero dançar. É algo que detesto. Só vim mesmo para vê-los...

— Mas você vai gostar do par que nós lhe arranjamos — disse Tuppence, sorrindo.

— Eu... — disse Sheila, calando-se de repente ao ver Carl von Deinim caminhando em sua direção. Ela limitou-se a olhar para ele, com espanto. — Você!

— Sim, sou eu — disse Carl.

Havia algo de diferente no rapaz. Sheila enrubesceu.

— Eu sabia que você estava bem — murmurou Sheila, ainda perplexa —, mas pensei que iam mantê-lo preso.

Carl sacudiu a cabeça.

— Não há razão para isso. Peço que me perdoe, Sheila, por tê-la enganado. Não sou Carl von Deinim. Tive razões bastante fortes para adotar esse nome.

O jovem olhou para o casal Beresford.

— Vamos, conte logo — disse Tuppence.

— Carl von Deinim era meu amigo, conheci-o aqui na Inglaterra, anos atrás... e reencontrei-o na Alemanha, antes da guerra, quando fui para lá, tratar de uns assuntos especiais...

— Você é do Serviço Secreto? — perguntou Sheila.

— Sim. Quando estive na Alemanha, ocorreram algumas coisas estranhas. Escapei da morte duas ou três vezes; meus planos eram transmitidos de antemão, por isso percebi que o "câncer", para empregar um termo tão conhecido deles, estava no meu próprio departamento. Carl e eu nos parecíamos ligeiramente, pois minha avó era alemã, por isso fui mandado para a Alemanha. Carl não era nazista, e sim um homem interessado, como eu, em química industrial. Assim que estourou a guerra, ele resolveu vir para cá; seus irmãos estavam presos em campos de concentração. Embora ele achasse que ia ser complicadíssimo escapar, como por milagre todas as dificuldades se resolveram. Quando me contou, fiquei imediatamente desconfiado. Por que as autoridades o deixariam sair do país tão facilmente? Os irmãos não estavam presos? Era como se os nazistas quisessem que Von Deinim saísse da Alemanha.

"De minha parte, a situação estava se tornando mais difícil do que nunca! Um dia, como ele era meu vizinho, fui visitá-lo e o encontrei morto. Havia se suicidado! Uma carta, que eu imediatamente escondi, explicava tudo. Resolvi substituir as identidades. Eu queria fugir da Alemanha e descobrir por que queriam que ele saísse da Alemanha. Vesti-o com minhas roupas e coloquei-o na minha cama; seu rosto estava desfigurado, pois dera um tiro na cabeça. Além do mais, a dona da pensão era meio cega. Com os papéis de Von Deinim, vim para a Inglaterra e dirigi-me ao endereço que haviam recomendado: Sans Souci. Lá representei o papel de Carl von Deinim e imediatamente descobri que tinham um emprego para mim na fábrica de produtos químicos. No princípio pensei que quisessem me forçar a trabalhar para os nazistas, mas só mais tarde descobri que Carl fora trazido para a Inglaterra para servir de bode expiatório. Quando fui preso por causa das provas falsas, não disse nada, pois queria manter o segredo da minha identidade pelo tempo que fosse possível, para ver o que aconteceria. Somente uns dias atrás é que fui reconhecido por um dos nossos agentes e fui liberado."

— Você devia ter me contado — disse Sheila.

— Desculpe, mas não era possível — disse o rapaz, olhando para Sheila, que ainda estava furiosa.

— Creio que tem razão — disse ela, sorrindo finalmente.

— Meu amor — disse ele, levantando-se. — Vamos dançar?

Os dois se afastaram. Tuppence suspirou.

— O que há? — perguntou Tommy.

— Só espero que Sheila continue a gostar dele depois que descobriu que ele não é alemão, nem foragido...

— Ela parecia bem apaixonada agora há pouco.

— Você sabe como os irlandeses são masoquistas e têm espírito de contradição!

— Por que será que ele revistou meu quarto? Foi o que nos levou a desconfiar dele...

Tommy riu.

— Acho que ele desconfiou que a sra. Blenkensop fosse uma espiã. O estranho é que, enquanto desconfiávamos dele, o pobre rapaz fazia o mesmo conosco.

— Olá — disse Derek, passando pela mesa com sua namorada. — Por que não dançam? — perguntou com um sorriso animador.

— Eles são tão gentis conosco — murmurou Tuppence, caçoando com o marido.

Mais tarde, os dois filhos gêmeos dos Beresford sentaram-se à mesa com seus respectivos pares.

— Que bom que você arranjou um emprego, papai — disse Derek. — Acho que não é lá muito interessante, é?

— Serviço de rotina — respondeu Tommy.

— Foi ótimo eles chamarem mamãe também — disse Deborah. — Ela ficou até mais jovem. Não é monótono para a senhora o trabalho, é, mamãe?

— Nem um só momento — respondeu Tuppence, enigmática.

— Ainda bem — disse Deborah. — Quando terminar a guerra poderei falar sobre o meu emprego. É bastante interessante, mas muito confidencial.

— Parece emocionante — disse Tuppence.

— Ah, é, sim. Claro que não é tão emocionante quanto a aviação — disse Deborah, olhando com inveja para Derek. — Ele vai ser recomendado por...

— Bico calado, Deb — interveio o irmão mais do que depressa.

— Ei, Derek — disse Tommy —, o que você tem aprontado?

— Nada de especial. Resolveram me condecorar... deve ter sido por sorteio — respondeu Derek, embaraçado, como se tivesse sido apanhado em flagrante. — Vamos dançar, querida. Hoje é meu último dia de folga.

— Vamos também, Charlie — disse Deborah.

Os quatro jovens foram para o salão.

— Que Deus os proteja... — disse Tuppence. Em seguida olhou para Tommy.

— E quanto à criança? Vamos em frente? — perguntou Tommy.

— Betty? Oh, Tommy, que bom que você também pensa assim. Na hora achei que pudesse ser algum tipo de surto maternal da minha parte... Vamos fazer isso mesmo?

— Adotá-la? Por que não? A pobrezinha já sofreu demais, e nós vamos nos divertir vendo crescer uma nova geração...

— Que bom! — disse Tuppence, estendendo a mão para o marido. Os dois se entreolharam por um momento. — Ainda bem que sempre desejamos as mesmas coisas...

Deborah passou por Derek no salão e sussurrou:

— Olhe para eles, de mãos dadas! Que casal maravilhoso. Precisamos fazer o possível para compensá-los por esses tempos difíceis de guerra...

Sobre a autora

Agatha Christie nasceu em Torquay, cidade da Inglaterra, em 1890, e tornou-se a romancista mais vendida de todos os tempos. Escreveu oitenta romances e coletâneas de contos, além de mais de uma dúzia de peças, incluindo *A ratoeira*, produção que ficou mais tempo em cartaz na história teatral. Agatha também escreveu uma autobiografia, publicada no Brasil em 1977. Embora seu nome seja sinônimo de ficção policial, a extensão dos temas em seus romances é extraordinária, e Agatha realmente merece um lugar de destaque como uma das mais queridas escritoras de todos os tempos.

Seu sucesso permanente, ampliado pelas inúmeras adaptações para o cinema e para a tevê, é um tributo ao eterno fascínio de seus personagens e à absoluta engenhosidade de suas tramas.

Agatha Christie morreu em 1976, aos 85 anos, de causas naturais.

Surpreso com o desfecho desse mistério?

Não deixe de conferir outros desafios que
a Rainha do Crime preparou para seus detetives:

A mansão Hollow

Assassinato no Expresso do Oriente

Cem gramas de centeio

Morte na Mesopotâmia

Morte no Nilo

Nêmesis

O mistério dos sete relógios

Os crimes ABC

Os elefantes não esquecem

Os trabalhos de Hércules

Um corpo na biblioteca

Convite para um homicídio

Hora zero

Casa do penhasco

Treza à mesa

O Natal de Poirot

Este livro foi impresso em 2021, pela Pancrom,
para a HarperCollins Brasil.
A fonte usada no miolo é Bembo, corpo 11/14.